S0-BXZ-048

La patria celestial

La patria celestial

Salvador Castañeda

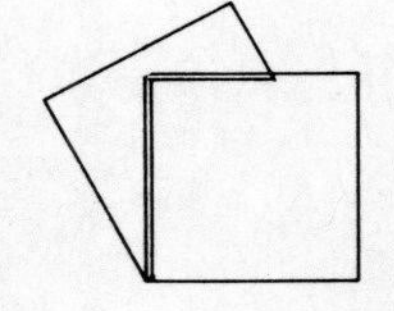

cal y arena

Primera edición: *Cal y Arena*, 1992.

Diseño de la maqueta: *José González Veites*.
Ilustración: Arnold Belkin, *Serie Lucio Cabañas*, 1985.
Fotografía: *Soledad Aranda*.

Mazatlán 119, Col. Condesa. Delegación Cuauhtémoc
06140 México, D.F.

ISBN: 968-493-242-1

IMPRESO EN MEXICO

A Carmen y a Salvador

A medida que el tiempo pasa se inquieta por lo que tiene del MAR. Tal vez la feria se vaya pronto —piensa—, tiene que hablar antes con Jaime; por lo de Joaquín.

No puede quedar eso ahí; es necesario rescatarlo, sacarlo de la base del motor de las sillas voladoras porque vendrá por él; por el diario de la cárcel y por el testimonio del *Ho Chi Min*.

Ahí dentro sólo escucha —a ratos— el golpeteo obstinado de los tipos de la máquina. Mira al guardia lento, desbalanceado, unido por la cintura a una pistola y sobre la cabeza una serpiente desgastada por el tallar diario con el abrasivo y con la franela.

La construcción no alcanza las dimensiones de cuatro por cuatro, y dentro como afuera se siente la sequedad de la atmósfera. Una *Remington* pretérita sirve de balaustrada a un hombre que exfolia papeles marcados con el membrete tricolor del Partido Oficial, haciendo como que trabaja. Ahí es algo así como una oficina del Comité Regional del PRI.

El Presidente de la República —a colores— se ve muy tieso en la foto, como muerto maquillado; amortajado en la bandera tricolor. Si se le mira con atención resulta un conservador rígido; lo pronunciado de la barbilla, la nariz curvada, los ojos pequeños, las penínsulas en el pelo, la frente oval y la boca de labios contraídos conforman la imagen de un ave depredadora.

El escritorio, que soporta el peso de la máquina de escribir, es de madera ensamblada y tiene las patas con grietas que le entran puntiagudas desde abajo. Un garrafón verdoso contiene agua electropura cuya superficie espejea si él se mueve, o vibra al paso de los camiones. El viento se ageometra al entrar por los agujeros de los vidrios de la ventana, se amolda y descarga el polvo en los rincones; sobre seres vivos y muertos; un proceso imperturbable de inhumación; un devenir sedimentario ajeno a la voluntad de los hombres. La camioneta, hace diez años —piensa al ver al Presidente— parecía que se iba de paso al llegar y como si se arrepintiera se detuvo, cambió de velocidad y entró de reversa despacio, por la puerta principal, y al salir ya estábamos adentro otra vez —recuerda. Por ahí cerca, amogotados, estaban los guardias en comitiva de recepción cuchicheando entre ellos al verlos siempre inermes; temerosos al enfrentar de improviso situaciones en las que no pensaron lo suficiente. El mogote se desperdiga y a ellos los canalizan hasta el fondo de un pasillo y presienten lo que les hicieron:

— ¡Bájense los pantalones! ¡Sin zapatos todos!

— ¡Aquí sí se los van a coger, cabrones!— y los empujan hasta ponerlos contra la pared y arremeterlos a cachetadas.

— ¡Ahora vístanse!

Levantaban los trapos para meterse en ellos y por más que querían quezos; caían, se incorporaban y volvían a caer y levantarse, y se escuchaban pujidos de unos y otros, pasos con botas y de pies descalzos, choques de huesos con palos, arrastrar de cuerpos en aquel espacio menguado donde apenas si cabían presos y carceleros.

Ya no tiene nada. Está convencido ahora sí y hay en él una cierta satisfacción que le produce el haber alcanzado un estado de descomposición terrible. Se siente como si finalmente se hubiese liberado de la carga de una culpa que a la vez fuese la culpabilidad de todos. Ahí estaba, copado por la precipitación de los hechos, y al mismo tiempo libre del temor y la angustia que le produjo durante algún tiempo la posibilidad de llegar a caer. Ahora sí tenía una explicación acerca de ese impulso, de ese algo desproporcionadamente más fuerte que él, que toda su fortaleza; superior a su voluntad. Un algo que únicamente tenía explicación creíble para el que se viera arrastrado por ello. Toda esa desproporción era como un ente de forma irreal, subjetivo, inevitable. Lo había agotado todo, cualquier posibilidad de salvación; quemó todos los subterfugios y cayó. Le resultaba ya imposible esconderse en sí mismo; en su conciencia, agarrarse a una tabla de valores que ya no le pertenecía; que jamás le perteneció pero que hizo suya como todos en la sociedad descompuesta —sostenía—, desajustada. Sociedad que era necesario llevar a su destrucción y sustituirla por otra realmente justa, distinta y luminosa; levantarla sobre los escombros de lo caduco, aunque para negarla haya tenido que negarse a sí mismo, tocar fondo. No poseía ya recursos de ningunos para hacerse creer lo contrario. Esa fuerza y su desmesura se le hacían inubicables; no contenidas en ningún tiempo, en ningún espacio pero en todas partes desde siempre. Sin embargo, a pesar de su visión apocalíptica, él no era del todo la personificación de la sociedad, arrepentido como estaba de los hechos, de sus manos, de su sexo, de su decisión de ejecución. Batallaba con desmesura para echar todo hacia atrás, deshacer los acontecimientos, adueñarse de un poder inexistente; erigirse en Dios. Ahora tiene que confesarlo; confesárselo. Tiene que reconocer aquella confusión desastrosa. Entonces era tanta ésta; tanto el sentido militarista que llegó a creer que sus aprehensores eran tal vez la parte más activa del grupo; la vanguardia dentro del MAR; la vanguardia dentro de la vanguardia. O alguien que dentro de la organización se había propuesto acabar con los tibios y con los claudicantes; con los que jugaban a la revolución, con los pequeñoburgueses antes de que éstos acabaran con el MAR. Era tanto el hermetismo, tantos los filtros de seguridad que ésto había alcanzado ya al interior del grupo; como si estuviéramos ubicados en círculos achicados hacia el centro, alargando la distancia entre puntos cercanos, actitud que retroalimenta la creencia en una vanguardia cada día más pura, hasta su degeneración en vanguardismo.

Cuando lo atraparon, entonces, ya traían a otro que habían atrapado antes en otra cita, con el que se vería con ellos."...atrapado antes en otra cita con el que se vería con nosotros". Repitió esto mentalmente y en voz alta infinidad de veces tratando de encontrar en ello algo que le hiciera luz, que lo sacara de las tinieblas. ¿Qué clase de agarradero estaban haciendo?, se preguntó muchas veces, nada más para demostrarse él mismo todo el desmadre interno que había para entonces en el MAR. ¿Y si ellos, la escuadra urbana, fueran unos traidores o claudicantes?, ¿tomarían en serio las acusaciones de ser pequeñoburgueses por tener un trabajo legal? ¿O por tener casa donde dormir? ¿Los considerarían perdidos para la revolución por estar casados ya?

¿O sería acaso por la loción? No obstante lo incierto de las cosas, en aquel momento, aun en medio de tal circunstancia, esto le producía cierta alegría debido a una exagerada disposición al sacrificio, una entrega irracional a una causa. Si ellos fueran en realidad sus camaradas, los potentes vehículos del año y su capacidad de movimiento hablaban de lo adelantado que estaba todo; la capacidad organizativa del grupo, aunque para entonces estuviera dividido. No obstante que las tendencias fraccionalistas fueran cada vez más evidentes y se hubiera llegado incluso a dictar sentencias de ejecución sumaria contra quienes pugnaban por la realización de un balance general interno que daría paso a una reestructuración. Las contradicciones internas son inevitables y hasta necesarias, se conformó.

Aquel automóvil negro —figuró— moviéndose con mucho cuidado, las armas cortas para la lucha urbana y el radio, podrían bien ser todo un equipo de comunicación tendido por la guerrilla, ubicado cuidadosamente en algún lugar de una zona suburbana con un alto potencial revolucionario determinado por las condiciones y resultado de un buen análisis de parte de los de arriba; de los cuadros especializados de la organización. Seguramente eran ellos, cómo no, y si él no los conocía eso realmente no tenía relevancia; la lucha, por sus características fundamentales, es así; resulta difícil que todos sus miembros se conozcan entre sí, que todos sepan de todos. Eran ellos pero no lo querían decir por la seriedad del asunto; recuperar el dinero de la más reciente expropiación y ejecutarlos por pequeñoburgueses.

Habían pasado ya tres años desde el 68 y ahí estaban, en el 71, en lo más bajo, en el sótano frío, cercados por paredes llanas como páramos verticales, embutidos en el cuartel de los granaderos. Al frente tendíase una costra de cemento que se incorporaba en muro; un dique trepanado en lo más alto semejante a una extraña boca dientona que reía siempre y enseñaba los pies con botas de los vigilantes que se movían truncos, sin cerebro, descabezados y sin embargo vivos. Una cobija introvertida con sus dobleces sobre ella misma esperaba como si en verdad razonara. La taza del excusado era una anomalía, algo que estaba de más, contraviniendo a la mansedumbre de la cobija. Con boca desarticulada, enorme, tercamente inmóvil, exige. Me le acerco, le levanto la tapa que protesta con ruidos como cubos huecos, y tomo de su reserva de agua; meto la mano, que en ese momento me resulta ajena, de alguien que no soy yo. La hundo en sus entrañas turbulares turquesa y sin causarle ningún daño me bebo a puños parte de su vida.

Cuando nos daban tregua para bañarnos había que hacerlo en la misma pileta con agua donde nos zambullían para rompernos lo hermético y con la ternura del agua despedazarnos la clandestinidad. Otras veces nos bañaban con chorros de agua con manguera, desde el otro lado, por entre las barras y era entonces que teníamos que correr y poner a salvo la cobija porque lo hacían sin aviso.

Había también un radio que no sabíamos dónde se encontraba exactamente, pero que escuchábamos muy bien, sintonizado en ninguna estación; una clase de ruido pastoso que parecía una dictadura que no permitía escuchar noticias; era un ruido que sentíamos en las sienes como un taladro con broca para concreto. Cuando los mismos granaderos no soportaban la dicatura impuesta por *ellos* mismos, le organizaban un cuartelazo y era entonces que se escuchaba el ruido de la libertad que llegaba desde la calle.

Luego de tres años estábamos de vuelta en Tlatelolco. ¿Qué significado tenía ese retorno?, ¿ese retruécano de tiempo y espacio? No tanto la fecha como el lugar; no el tiempo sino el espacio. ¿Quién lo había determinado así?

A Marco Antonio Campos

Aquella tarde del 2 había ahí un hervidero de trashumantes, una efervescencia humana que parecía la consumación de algo, de un peregrinar; el final de una huida sin principio. Lo mismo que si la sistemática movilización de las bases se hubiera agotado. Como si las jornadas de ese tiempo y de todo el tiempo llegaran al fin hasta donde podían llegar y de ahí no pasaran, y quedar de pronto en el umbral mismo del paso de un método a otro sin tiempo ya para nada, ni siquiera para hacer un recuento del pasado o del presente.

La concentración era un enjambre, el acorralamiento de la suma de la confusión de todos los tiempos o, tal vez, la conciencia de la necesidad del devenir de la historia. La periferia de la manifestación en realidad se extendía más allá del espacio y del tiempo conocidos, diluyéndose conforme se concentraba en la Plaza de las Tres Culturas, y como si el presente le tendiera un cerco al pasado, a Tlatelolco lo rodean los multifamiliares. La multitud escudriña con la mirada y el pensamiento, y parece que adivina lo que no quiere que suceda.

Se movía un vientecillo demasiado lento ahí que pasaba por entre una mezcla esquistosa de ruidos imprecisos, chiclosos; en medio de un murmullo agusanado que conspiraba coludido con la represión. La algarabía generalizada era el escondite del recelo; un estado de ánimo preludiante.

El que oraba en la tarima pedía no marchar hasta el Casco de Santo Tomás porque allá se emboscaba la provocación del ejército.

Tercamente históricos estaban ahí merodeando a la muerte, inconscientes, movidos por algo enajenante, sin gobierno; por un impulso intangible, sin embargo más fuerte y poderoso que el mismo ejército, que el mismo miedo, que la misma suma de las voluntades de todos.

De pronto las libélulas verdes zumban encima del enjambre tajando a rodajas con sus aspas el aire. La prosodia se apaga y bajan las parábolas desde el cielo luminoso y con ellas el desorden del principio. Empujados por el avance rugiente y disciplinado, por el traqueteo pesado de los motores de diesel y las dentelladas de las orugas sobre el asfalto, los últimos llegan para ser los primeros, adrenalínicos como si acudieran a los juzgados para el juicio final. Las manos del Batallón Olimpia se alargan y con sus trazos sodomizan cuerpos de viejos y niños; de hombres y mujeres; despedazan piedras y el plomo chilla liberado e iracundo contra el cielo. Los tejidos se destejen y los huesos truenan; los cuerpos se doblan como espigas segadas vaciándose por los agujeros. Las manos de los geómetras, blancas como palomas, trémulas se agitan en el aire dirigiendo la maniobra. Tapan las salidas. La rosa de los vientos se desquicia y los rumbos desaparecen. El movimiento de todos se revuelve y se hace nudo ciego. Los zapatos de todos se descalzan y se anda a gatas, para atrás, de regreso, a los flancos; se arrastran, se incorporan y quieren volar aleteando con las manos. Cristo se zafa de la multitud y con su gavilla corre a esconderse y se encierra a piedra y lodo en la iglesia de Santiago para que nadie escape.

El griterío se argamasa con el masticar frenético de los mecanismos de acero y se oyen gritos sin fonemas como un aullido deslindado; la metamorfosis del verbo recíproco; un embalse turbulento de ojos delirantes, de respiraciones apelmazadas, de segregaciones descontroladas; el presente de un miedo pretérito. Los cinco sentidos se despedazan inútiles. Es el griterío escalofriante contra las balas como única respuesta; el doloroso final de lo que empezaba. Un balbuceo terrible del futuro que se adelantó al comienzo.

En tanto las manos blancas buscan en los escondrijos lo que queda, los geómetras, en formación, envainan el acero púrpura, los quejidos se oyen lánguidos; los zapatos están desperdigados, vacíos, y el vientecillo helado se endulza y miles de hojas de papel iluminadas bajo la luz mercurial, en desbandada abandonan los cuerpos para romper el cerco de la muerte.

En los primeros tiempos las piedras fueron determinantes ahí dentro; todos estaban en el paleolítico inferior. La existencia misma estaba condicionada a ellas como objetos fundamentales de la historia del hombre, son un registro preciso del tiempo porque éstas son antes que el tiempo.

Donde los tenían había muchas piedras en los pisos, en las escaleras, en las paredes, en los cimientos, en las azoteas; los lavaderos eran del mismo material; negras y rojas, cacarizas. Incluso los golpeadores eran como ídolos de piedra; duros y sin misericordia.

Estaban echados sobre el cuadriculado de roca porosa, descansando encima de sus hoyos y sus rayas, acomodados en un desorden arbitrario; conmovedor de tan inocente, tal y como los dejó la caída por el agotamiento. Cuando alguno se movía lo hacían los demás sin saber nadie cómo ni por qué de semejante acción remota e inadvertida. En ese acomodo se escuchaba un escándalo de restos de armadura de aluminio contra la piedra, platos, cucharas y pocillos; ruidos mediatizados —como un raspar de buriles—, que producían los huesos sueltos al golpear unos contra otros colgando de mecates anudados a la cintura de cada uno; huesos que procuraban para un futuro que parecía negar el presente; para cuando aprendieran a trabajarlos.

Sus piedras, las piedras de todos, estaban cerca, al alcance de la mano como si fueran sus armas; amontonadas de tal manera espontánea, sin prejuicios, que parecían implementos de propiedad común. Pero no, realmente no era así sino que eran más bien su castigo; duras y negras como el pórfido; inflexibles. Las ve y es lo mismo que si viera a sus camaradas, a él mismo.

Todos ellos eran como si fueran de piedra.

—¡Dale una piedra a cada uno y que se vayan a la "pasta", pinches terroristas! —les dijo el Mayor, el jefe de la crujía en la oficina del escribiente, un cuarto frío de paredes desoladas. Todo emanaba un olor a paño húmedo, el mismo mecanógrafo. Los platos de aluminio, los pocillos y las cucharas yacían en desorden rellenando la precisión geométrica de un rincón. Las cobijas eran similares a cueros duros con pelambre reseca, y percibíase un despido que exhala el cuerpo del hombre, los animales y las cosas enchiqueradas. Ese amontonamiento de objetos metálicos y frazadas decían mucho del tiempo enceldado, de hombres en crujía. Los llamados ayudantes estaban ahí como la expresión del poder del Mayor, y trataban de alinearse como soldados reclutados de improviso. Éstos eran meros brazos de madera; toscos garrotes de estructura ofensiva; irracionales, una clase de prótesis represiva de minusválidos. Los brazos, así, parecían sin utilidad, desacoplados, apenas vinculados al muñón con trozos de correas o mecates anudados.

Esta visión con sus elementos conformaba un registro rupestre con escenas de cacería; de cazadores armados con palos.

Contiguos a las piedras boludas, atrapadas en alguna parte y encerradas aquí —asentadas sobre su desgaste— estaban los botes de hojalata carcomida, jergas deshiladas, evacuado, en descanso también al igual que lo hacían los prisioneros. Aquella gente atrapada en ese espacio al que determinaban y negaban al mismo tiempo, era una restrospección de ellos mismos y a la vez su propio devenir, y el tallar empedernido de piedra sobre piedra la manifestación simbólica del paso del tiempo sobre los conceptos del hombre.

Lo que más nos costó fueron las grabaciones de Lucio que teníamos para los campesinos, y las amenazas de muerte en el camino llevándonos al "Pozo Menéndez" (un agujero profundo en un paraje cercano), que tiene fama de ser la tumba de los desaparecidos de la región, sobre todo campesinos. Esto provocaba en nosotros una sensación de desesperanza. En el camino detienen la camioneta y escuchamos golpes metálicos: ¿la tapa del pozo? La imaginamos circular, herrumbrosa, con una enorme argolla y sus bisagras, pesada, densa; un rechinar que se pierde hasta el fondo helado y húmedo; las paredes sin recubrimiento metálico, deforme; arañas, grillos albos y culebras ciegas. La caída golpeando contra todo y el ruido líquido —como de charco—, tal vez algunos quejidos por el dolor de huesos rotos y después el silencio absoluto.

Los agentes bajan del vehículo, y aprovecho para preguntar a mi camarada si ya les dijo que también es del MAR. No me contesta y pienso —en mi oscuridad— que ya le dijeron que yo lo dije. Con nosotros anda en la fajina también uno que llegó por robo de auto, que le tiene pavor a esto y ha pedido al *cabo de fajina* que lo saque porque no aguanta más y llora y pide compasión. Para desafanarlo el cabo le pide a la mamá por unas horas en la visita. El hijo le insiste a su madre para que él pueda salir del infierno. Le cuenta que ya no puede y tiene que ayudarlo. Ella cede. Durante algún tiempo él no participa en nada. Su mamá antes de llegar a verlo y entregarle lo que le trae, se pasa una hora encerrada con el cabo en la celda. Sale maltrecha, besa y abraza al hijo y llora con él. Luego se retira hacia la libertad, tranquila por su hijo.

Al darse un cambio de *cabo,* el que lo remplazó no reconoció nada, ninguna transa, y el hijo por más que protestó —porque su nombre aparecía nuevamente en la lista— debió participar. Más tarde enfermó de una rodilla que se le infectó, como resultado de una herida ocasionada por el filo de la piedra volcánica. Como no le permiten ir a la enfermería, se cura con criolina y sal que se aplica durante los descansos, antes de meternos al cuartel.

Como si el trasegar de ese mismo viento lo acarreara hasta ahí, a esa oficina del Partido, se encuentra aislado también; amontonado en un rincón, tan sumido en sus pensamientos que ni Dios sabe el escarbadero que hace en él mismo. Visto desde afuera, a través del vidrio de la ventana, semeja un hombre liquidado; en el punto preciso de su inexistencia y al mismo tiempo de su aparición ahí dentro; como un intruso, un alguien desconocido hasta que llegó; un ser demasiado extraño de tan cierto, de tan desdoblado y transparente; de tan multitudinario. Está silenciado por la cavilación de siempre en todos los tiempos. Empecinado en encontrar una salida donde ya no existe salida; atrapado en el contrapunto obsesivo de su existencia: "A un ejército se le derrota enfrentándole otro ejército, porque éste es el sostén, la columna donde se sostiene la clase dominante". "Cada combatiente de la guerrilla, por su capacidad, vale por diez del enemigo y debe ser capaz de echar a andar todo otra vez si la organización es desmembrada y llegara a quedar solo..."

Ha perdido todo. Él mismo se considera perdido; no tiene ya siquiera el control de su memoria; está suspendido de la arbitrariedad de ésta que lo lleva por los derroteros menos esperados, incursionando en los entrepaños más intrincados de su corteza cerebral; haciéndolo con tal precisión que el fenómeno se transforma en un castigo brutal.

A Evodio Escalante

Era tarde ya, entonces, no podrá olvidarlo jamás. La oscuridad enmarañada de aquella noche de escombros le parecía las tinieblas no del principio, sino del final de todas las cosas; las del desastre universal. Una oscuridad orgiástica, zafada, pegajosa y adherida a todas partes, extrañamente interminable; alargada como el tiempo de la cárcel, sin orillas. En ese universo enigmático no había más gente que el padre y él —el hijo— que ya estaba cerca, que se aproximaba para quedar a su diestra. El silencio y la oscuridad eran un contubernio ordenado; una urdimbre subvertida por el ruido que producían sus pasos.

Caminaba por la calle sin pavimento —más segura que la

banqueta a esa hora— trastabillando por los hoyancos. Los envases de cerveza iban como ratas de hojalata corriendo delante de sus pasos, gritando metálicas los golpes contra las piedras y en la guarnición de la banqueta. Las bolsas de plástico en la calle eran tantas que se hallaban en todos lados, en cualquier lugar; dirigiéndose a ninguna parte. Vagan desde no se sabe cuándo en busca de una salida. Vistas así, yendo de acá para allá como judío errante, son como una de las siete plagas caídas sobre la tierra, sin retorno, víctimas de su propio castigo. Se reproducen en la adversidad y mueren en los charcos atrapadas en el lodo; se clavan en los alambres, en las ramas de los arbustos o perecen en la hoguera. Más que pedazos de un tejido ligero y transparente parecen tener vida propia.

Desde la basura los perros asoman la cabeza mojada para meterla al espacio cerrado y escrutar la noche. Su miedo pretérito los inquieta. Los dientes amenazan y algo les escurre. La lengua roja les asea el hocico. Las orejas oscilantes escarban el silencio. El olfato discrimina a los extraños y prosiguen el sondeo.

Traía las uñas despegadas y rellenas de tierra; espinas en el cuerpo y contusas las aristas; arañó donde pudo para salir. El tallar en ramas y piedras le dejó un escozor en las palmas de las manos.

Respiraba un tufo seco y amargoso y sentía el golpe podrido de los muertos. Según se aproximaba, a cada paso le era más difícil sacar de su memoria aquel 27 de febrero, nueve años atrás. El recuerdo es como de ayer o tal vez como de algunas horas antes, de tan fresco; el momento mismo en que dijo lo que no debió. La rememoración arranca desde antes; desde que los sacaron a los dos para ir por los otros dos porque él así lo había decidido por encima de la voluntad ajena; porque sintió que todo se desbarrancaba cuando Nassar Haro y su gente entraron con la llave a aquella supuesta casa de seguridad. Desde entonces estuvo perdido.

En tanto llegaba a la diestra de su padre, un temor incierto lo obligó a asegurarse de su libertad. Se llevó la mano a la bolsa de la chamarra para sentirla. Sí, cómo no, su libertad estaba ahí, en el papel. La palpa con los dedos; es suya y se aferra a ella; a un trozo de papel desprendido de un talonario. El REGISTRO DE LIBRES —imaginó con el tacto— el MOTIVO DE LIBERTAD dibujado en tinta verde: *Compurgado*. No les debe nada.

Los trazos de las letras son lentos y ocupan en diagonal todo un espacio exprofeso. Su nombre está escrito por la mano torpe forzada a escribir como para un diploma. La SALIDA AUTORIZADA POR, en color violeta. Un par de huellas azules dejadas por el paso de los sellos de la Jefatura de Vigilancia, y águilas arqueadas comiendo víboras, como el águila borrosa que tiene el guardia en la frente. Hasta arriba de la "boleta de libertad" dice: Dirección General de Gobernación, y a la derecha lo impersonal de una cifra: 13212; su número de libre.

Traía encima también la sentencia de la Dirección Federal de Seguridad dictada horas antes de salir: "Para la otra no hay cárcel" y de ahí al diferencial y más adelante al barranco.

La plana mayor estaba adueñada de la cárcel (de cuerpo presente) ese día, de la Dirección, sentada en hemiciclo y al centro —como héroe— flanqueado por sus apóstoles, Nassar Haro.

La mitad del círculo de los apóstoles eran casi todos los agentes de entonces y los que no, estaban sustituyendo a los que murieron para llevarlos hasta ahí. Los discípulos estaban de traje y la piel olorosa. El otro hemiciclo eran ellos, los demonios, los "terroristas", los MARinos, con uniformes azules (talla 40 parejo para todos) elaborados ahí mismo en Santa Martha, sin héroe ni redentor; sin jerarquías ya, sudorosos y cubiertos de harina de trigo por la costalera bajada del trailer; de mármol, de caliza metamorfoseada, como los canteros; medio negados en el espacio, sedimentados a fuerza de caerles el tiempo encima. El tallar del encierro largo y la soledad los ha endurecido para ablandarlos. Tenían rotas las suelas de los zapatos, mecates anudados a modo de cinturones; hongos en la piel inmunes a los medicamentos que dan en la cárcel; húmedos hasta los huesos; los intestinos ulcerados.

Juan Alberto Antolín —Director de la Penitenciaría— iba de un lado a otro, tras la plana mayor, como un punto fuera del plano que contenía al círculo, como Judas arrepentido desde antes de la entrega. De pronto dejó de oscilar para decir:

—Ahora sí, ya se van.

6 de octubre era la fecha. (Reparto agrario en la Comarca Lagunera. 27 de noviembre en el ejido. La fiesta anual armada por la profesora de la escuela. Los danzantes, las plumas teñidas de las gallinas y los coconos; las cintas de carrizos en las nagüillas de franela roja, los espejos, la lentejuela; los guajes como geodas erizadas de espinas hacia adentro y los guijarros minerales cristalinos golpeándose entre sí en su encierro. Caballos y burros trasijados, costilludos, pezuñones y de orejas llagosas de garrapatas, amarrados a fustes de palo de mezquite y correas resecas, pisoteando sus desechos. Las vacas muertas despedazadas, hirviendo en chile colorado, los cueros estacados estirándose al sol. La iluminación vaga de las linternas de petróleo hostigada por cientos de insectos enajenados chocando contra las paredes traslúcidas que resguardan la luz de la oscuridad. El violín tamizado por el polvo de la brea que el violinista le unta en los descansos al arco. La pólvora quemada cada año.)

Con ellos dos arrancados de la casa de seguridad, eran seis en el coche negro de antena erizada en el toldo, en una relación de cuatro a dos. Los de atrás —en medio— bloqueados por un par de M2 plegadas. Los cargadores de treinta balas salen violentos de la trayectoria general de los trazos geométricos y parecen acentuar la intransigencia de las armas.

Al penetrar en la zona del desastre —al oriente—, a la izquierda del Cerro del Marqués, los de las metralletas pensaron en un posible rescate a sangre y fuego —tal vez—, y fueron más cuidadosos. Avanzaban un trecho regular sobre los caminos de terracería y nos apeaban para colocarnos alejados, desde donde no era posible que escucháramos la comunicación con su centro de mando. El calor de esa hora los ponía lentos; no concedía tregua a nadie. *Ellos* tenían tanto sueño que se les derramaba en el piso alfombrado pero no se dormían. Nos colocaban de espalda a cualquier pared y parecía que veíamos y escuchábamos lo que seguramente harían; primero se formarían frente a nosotros, aunque no trajeran armas largas, luego se acomodarían para concentrar el fuego; los disparos a una voz de Nassar; los pedazos de pared y sesos con arena y sangre y el polvo de calidra por el aire y el derrumbe pesado de los cuerpos inertes, el sonido fofo y el escándalo de la tierra suelta.

El llano estaba en llamas y el calor abrasante parecía cortar el paso a cualquier ruido, viniera de donde viniera. Estábamos como mudos y huecos; extraviados en un embrollo del que nos parecía imposible salir. Éramos extraños entre nosotros mismos; con una terrible sensación de ausencia, como si repentinamente volviéramos de una trasposición y con ello no quedara nada de lo que tal vez era solamente una quimera.

Como si no existiera vínculo entre nosotros, y nos entrara por los sentidos una realidad que no nos cupiera, masticábamos cada quien su manojo de incertidumbre. Nunca juntos con anterioridad, separados por la necesidad del clandestinaje, nos reconocíamos desconocidos, ocupados en los pensamientos acerca de una dispersión imposible; unidos, lo mismo que los tabiques del improvisado paredón de fusilamiento, por una solidaridad obligada. Desde ahí no éramos ya los mismos que en un tiempo fuimos.

Estábamos detenidos en una de las escalas arbitrarias del trayecto antes de llegar al camposanto de San Lorenzo, bajo los cables de las torres de alta tensión. Ahí estábamos, bajo ellas que se levantaban imponentes, enormes. Bajo los cables pendientes de sus pequeñas manos de porcelana; robots de osamenta vectorial simétrica. A pesar de los chillidos monótonos del correr de la electricidad, había un soplar de aire detenido y un mutismo preludiante, cómplice de las armas de la Dirección Federal de Seguridad.

El coche se detuvo calladamente como si se moviera encima de ruedas acolchonadas, sin levantar polvo. Sin embargo, al entrar al espacio vacío donde brotan las torres, perros y marranos se dispersaron hasta una distancia prudente desde donde emprendieron el regreso con sumo cuidado. Los marranos deambulan solos por aquí; mostrencos, sin dueño. Lo mismo que si su existencia fuera una desbandada perpetua o hayan aparecido derrotados desde el principio de los tiempos. En cambio los perros se mueven como insurrectos, alzados; solidarios entre sí y cada vez más desvinculados del hombre. Pareciera que manejan ciertos elementos rudimentarios de autodefensa. Tal vez una primera etapa de todo un proceso que incluso Dios ignore. Sobreviven de la basura; hasta ahora de los desechos del hombre. Pasan frente a nosotros —que seguimos esperando cualquier cosa de nuestros captores—, delante de aquella escuadra de lucha urbana del MAR desarticulada, sin concedernos mayor importancia.

Sólo uno de entre ellos levanta la cabeza, otea y orienta las orejas hacia la pared en un único movimiento. Aquella forma de mirar parecía súplica de perro, no se sabe qué cosa quería decir, un algo imposible de determinar en fracciones de segundo; como si el hombre en realidad se encontrara en desventaja y ésta se reflejara en ellos, en los vencedores mismos; o como si vencedores y vencidos se hallaran en iguales circunstancias. Una mirada demasiado profunda, incomprensible hasta la desesperación, se intuía más lejana que el destino del hombre sobre la tierra; tan esperanzada como cierta era nuestra derrota; más allá del polvo y el salitre acumulados sobre los cuerpos de sus camaradas muertos por el hombre; muy por encima de la lucha de clases de la sociedad humana; desenajenados del conflicto entre las fuerzas productivas y las relaciones de producción; aferrados al devenir trágico e inexorable de la humanidad a manos del hombre mismo. ¿Será entonces el hombre capaz de sobrevivir de los desechos del perro?

Esta zona tenía agua, mucha agua. Era un enorme lago de márgenes caprichosos. Tulares densos se mecían con el viento transparente y fresco; era la región más transparente. Los coyotes bajaban desde los macizos del vaso y caían sobre las aves y sus críos. Los patos eran los dueños del amanecer y de los atardeceres anaranjados. Triangulaban en bandadas el cielo.

Ahora ya no hay patos. Los márgenes se diluyeron hasta desaparecer. Los coyotes emigraron y nunca más se ha sabido de ellos. Aquí se asienta la ciudad más violenta; la más densamente poblada. Recuerda la próstata de su padre y el día que le dio sangre; el hospital. Al guardia que no salía de tras la puerta, a la entrada. La efigie antropomorfa de un coyote. Muchos de entre los que esperaban querían llegar al Banco para quedar en buen lugar en la fila. En la explanada amplia, unos se acomodaban como montados en terrazas, sobre los peldaños de cemento. Otros se agrupaban primitivamente por familias, en tanto los demás deambulaban sobre el páramo de concreto enrejado como si lo hicieran en el asoleadero de alguna prisión. Ocasionalmente el guardia se desplazaba en un ir y volver metido en su jaula de cristal. Él también —al igual que todos— tiene la piel corroída por lo erosivo de las tolvaneras saladas. La podredumbre le invadió el arma y le entró hasta los huesos de la pélvis. Los zapatos parecían chicharrón duro. Algunas mujeres calzaban chancletas, otras de plano sin nada y los niños con zapatos de hule, de la Conasupo.

Cuando el guardia abrió la puerta se hizo un conglomerado con incrustaciones de gritos, carreras y empujones para llegar a la antesala. El siguiente retén apenas si resistía al mirar el carnet de cada uno. Los que iban al Banco bajaron aprisa hacia los sótanos donde los pararon en seco cerca de los elevadores; frente al sistema de columnas que sirven de apoyo a toda la estructura, y pensó en Corea del Norte, en los ejercicios de demolición, en el manejo de explosivos, como para que no se le olvidara: un kilogramo de TNT (o su equivalente en dinamita o amonita 1.5 veces menos potente) por cada metro cúbico, colocar la carga en el centro, cerrar puertas y ventanas, aunque sea con papel o mantas; o bien un sistema de cargas por simpatía; una en cada columna con el fulminante orientado en dirección a la carga principal.

Ya formados, un hombre ayuno y transparente, lamoso, medio verde, se aproxima a todos: "no tengo trabajo; no tengo qué llevarle a mis hijos. Cuatro mil pesos por el cuarto". Alguien deserta de la fila y él se da de alta.

Fuera de la inmovilidad de la espera, todo lo demás era un lugar de urgencia. La gente corre con la angustia dentro tratando de ganarle al reloj que no perdona y muerde tarjetas con su mecanismo automático accionado por resortes inflexibles, incrédulos revisan los números que dejan los dientes y corren. Sobre las paredes hay papeles con llamados a sí mismos como médicos y enfermeras, paramédicos e intendentes. Invitan a exigir mejoras salariales, el cese de la represión contra ellos y mayor presupuesto para la asistencia médica a la población, pero no dicen nada, en sus llamamientos, a los derechohabientes.

Una mujer de cara percudida, más que hablar gritaba con las manos:

—¡Nada más los de la cola! ¡A ver esos de la cola!

—¡No, nada más los de la cola van entrar padentro; los demás sálganse pafuera! Recorría la fila a gritos que se hacían trozos de papel con números y las iniciales del Banco de Sangre. La contenía una blusa negra transparente, y un brassier de igual color le apaciguaba los senos, dejándolos apretados para quitarles su languidez. Con dificultad cabía en un pantalón rosa. Caminaba sobre zapatillas del mismo tono. Con su pedacería de papel hizo un ficheo y así, fichados, entraron a un pasaje donde los detuvieron con una señal de mano. Los enfermeros se ocupaban en acomodar los enseres para la succión. Con sólo verlos haciendo esto se siente que la aguja entra en la vena, que el algodón enalcoholado talla el brazo, y después el ardor en el orificio al sacarla.

La mujer abríase paso con el verbo por delante, que le salía por las manos, para llegar donde hacían los preparativos. Nadie oía claramente qué, pero algo se decían con cierta familiaridad de cómplices, y regresaba por el mismo camino ante la mirada dubitativa de los de la cola, quienes de salida le miraban la suya, sus nalgas apretujadas y el contrastante derrame carnoso de la cintura. Los analistas solicitaban la mano extendiendo la suya, y les dejaban ir un lancetazo de acero sobre el dedo medio que luego masturbaban hasta hacerlo chorrear y aventar el líquido hasta el fondo, a lo más profundo de la caña de vidrio.

El Banco de Sangre está en un rincón del sótano; por el lado donde entran los moribundos y salen los muertos; en la ubicación donde se encuentra el incinerador desvencijado, negro como horno de ladrillera, para las gasas purulentas y ensangrentadas; para los restos de vísceras; el infierno, las llamas eternas para los que nadie reclama. Ahí dentro, encima de los archiveros, Los Beatles se desgañitaban con su *Submarino Amarillo* en un cantar cadencioso entreverado en un ritmo machacante de marcha fúnebre. La pared de la izquierda se desangraba por una arteria cromada que salía del cuerpo y le escurría un tapón de gasas, que no lograban detener la hemorragia. Huele a alcohol, a merthiolate, el lugar es frío y hay mugre sebosa en la junta del piso con la pared. Las víctimas estaban en posición, sobre divanes destripados con los resortes brotantes. Alguien detiene la marcha fúnebre y el Cuarteto de Liverpool se silencia. Los vampiros esconden su responsabilidad en batas blancas y desde ahí dicen a todos que no pueden donar sangre si tienen enfermedades infecciosas. Los 28 fichados son igual a catorce litros. ¿Cómo se verán catorce litros juntos? Tal vez más oscura y su olor dulzón resulte más perceptible.

En el diván de la izquierda Rito se estremece al mirar el rostro endurecido de un hombre tuerto cuyo ojo apagado se ve blancuzco como si lo hubieran pasado por agua hirviendo antes de colocarlo en su cajete. No habla con nadie y pareciera que la mitad oscura de su mundo le haya eclipsado la palabra. Su ojo disparejo, víctima de una despiadada *vendetta* de percepciones ha caído en la paranoia y no tiene sosiego. El globo se mueve como prisionero en su misma cavidad, cubriendo su ángulo visual y el que no abarca el otro. Atareado en el registro de cada movimiento, vigilante de los ruidos, atento a los lapsos en silencio; acosado por el desbarajuste geométrico y el acomodo de los objetos. El ojo ha perdido la razón y expande tanto su campo visual que se descoyunta y abarrotado de información se cierra vencido y llora su derrota. El cíclope se conmueve y le enjuga las lágrimas con un paliacate.

El que masturba los dedos coloca las cañas en la microcentrífuga para determinar el porcentaje de glóbulos rojos, y acomoda las bolsas de hule para la sangre. En realidad pareciera manipular pedazos de carne ámbar o estómagos lavados. Las sondas desatadas, saltan sin dirección como tripa de ombligo.

Los coyotes —como el de la entrada— aparecen estampados en vidrios de puertas y ventanas; cubiertos con el ayate de Juan Diego. Coyotes azules todos, flanqueados por el logotipo bisexual de la Secretaría de Salubridad y Asistencia; las "eses" acopladas sobre la "A".

El sangrado termina y al tiempo principia el de los siguientes 28 de ese día y es como si dejaran parte de ellos en las bolsas de cuero lavado. De ahí a un cubículo y dentro, el reparto a cada uno de bolsas de polietileno con plátanos batidos, un sandwich helado, un vaso de unicel con atole, y da comienzo la recuperación. Él sin trabajo, de pelambre tiesa y residuos de almohada entre los cabellos, sólo mira, sin comer, agarrado de la bolsa y del atole. Salieron y el guardia seguía ahí, y tras él el mismo coyote de todas partes, en una placa donde dice:

Yo, Nezahualcóyotl, lo pregunto:
¿Acaso deveras se vive con raíz en la tierra?
No para siempre en la tierra:
sólo un poco aquí.
Aunque sea de jade se quiebra,

aunque sea de oro se rompe,
aunque sea de pluma de quetzal se desgarra.
No para siempre en la tierra;
sólo un poco aquí.

Entonces, pronto darían de alta a su padre y Trabajo Social del Sistema de Salud de Ciudad Nezahualcóyotl le había dado la opción: cuatro mil pesos o sangre.

En el Panteón de San Lorenzo las cruces en perpetua súplica parecían abrir los brazos al cielo, hacia la nada en busca de indulto para los vencidos. El coche, en otra escala del trayecto, como desproporcionada ave negra, se posó en uno de los flancos del camposanto en Chimalhuacán y entonces desplegó las cuatro alas. Surgen *ellos* y el suelo limo se adhiere al charol de los zapatos. El viento les refrescó la espalda y el trasero sudado. Se desapoltronan. Rito, sentado en el hueco del ala, con el cierre se rasga el vientre, mete la mano y lo saca con un movimiento que pareciera vaciarle las vísceras. Libera en parábola el chorro límpido para inhumar al miedo, adorna su sepultura con flores de espuma. Nassar está de pie, somnoliento, la metralleta le baja desde el hombro como un fierro cualquiera, le mira el repliegue del prepucio y pregunta a Rito la edad.

Una afonía dispersa por el lugar se rompe perforada por el viento manso que pasa rebanándose en el ramaje de los pirules con un ruido afilado, que llega más allá de las tumbas. No lejos, unas vacas ignorantes mordisquean zacate con tierra en tanto los pájaros las jinetean limpiándolas de parásitos. Al pie de los árboles se tiende muerta una acequia, borrada por el asolve, y tras ellos se aviva un espacio lacustre que invierte la distancia al cielo. Hombres que surcan el azogue lo pautan con sus pasos y escriben ellos mismos con los pies una especie de música acuática *sui generis*; sorda. Un concierto musical que valora los espacios muertos por delante de la ancestral combinación de sonidos de los espacios vivos. Durante horas con el agua encenegada hasta los tobillos, empujan delante con las manos una red contra los charales que luego depositan sobre lonas salitrosas endurecidas, que extienden en los márgenes del charco. Los pececillos mueren después de un doloroso proceso de transformación hasta quedar convertidos en refinadas piezas de oro tornasol, abrasados por la resolana. A corta distancia del ave, cuatro estacas sostenían una techumbre de hojas galvanizadas, y bajo ellas, como reclusos esperando sentencia salida de un único juez en la tierra, una muchedumbre de ángeles, querubines, vírgenes y santos inamovibles sorprendidos en la intimidad del pecado, hechos piedra. Hay ahí martillos de variados pesos, cinceles cabezones, plomadas como trompos, transportadores, compaces, cuerdas de pita, escuadras de madera, niveles de burbuja, recipientes con agua lamosa; todas como elementos necesarios para hacer justicia. El labrador con santa furia golpea al cincel con el martillo contra la piedra y le rompe la mudez de millones de años. Pareciera que el cantero en vez de crear destruye las criaturas de su obra y gracia. A la Piedad de Miguel Angel le ha dejado sólo la cabeza que brota metamórfica desde la caliza. A cada percusión del hierro, inclina la cabeza y cierra los ojos cuidándolos de las esquirlas, y quisiera con ello disculparse de su justicia, y él mismo desaparece bajo el polvo, víctima de la mímesis con sus propias imágenes.

A Roque Reyes G., donde lo tengan

Esa prolongada espera, ahí, con el Presidente colgando de la pared, metido en su mortaja tricolor, el espejeo del agua en el botellón y a ratos un silencio que sonaba raro; los que pasan y se asoman, la patrulla que no llega, la puerta cerrada, el azoro de los oficinistas y el guardia que aparece por el vano de la ventana y se oculta en la pared; todo le saca a la superficie una risa irónica apenas delineada; un reírse de sí mismo y su circunstancia, como si nada le importara ya. Entonces, en la "O", en la administración donde lo bajaron luego de apandarlos a todos, también esperaba y a ratos dejaba caer la mirada sobre la charnela que forma la pared con el piso, viéndola como un cordón desesperadamente lento; una línea serpenteada que se rompía indistintamente para unirse y volver a cortarse; prisioneras todas de una monotonía enloquecedora. Iban y volvían desde un punto perdido tras un locker en un ángulo de las paredes, como si se congregaran para algo importante, y no le quedó más —en aquel momento— que rememorar las de la celda de la "H", donde resucitó a las 72 horas, al tercer día, para desde ahí llevarlo más adentro. Eran todas tal vez de una misma especie, divididas de un lugar a otro, ahí dentro, por enormes distancias proporcionales con su tamaño. Sin embargo, éstas y aquéllas estaban empeñadas en las mismas cosas, con iguales métodos; varadas en cierta etapa de la evolución paralizada hace millones de años. Separadas por la desproporción de los obstáculos: puertas, paredes, murallas, guardias, cadenas, metralletas; la vigilancia permanente y aun así —en su relación esclavista— más libres que los presos.

Arrastraban comida hacia el hormiguero escondido, dueñas de su libertad. Las de ahí eran las mismas de la montaña, las que entraban y salían presurosas de los túneles de los oídos, por los de la nariz; las que chorreaban de la oquedad de los ojos; las que se perdían bajo los laberintos de la piel de hojarasca; las que trajinaban en la blancura de los huesos descarnados, de la boca sin labios ni lengua. Abasteciéndose de los conflictos de los hombres entre sí.

Aquel transcurrir en ese sitio tenía una frialdad de ceremonia. Era un lugar escondido, apenas un rincón en una ciudad descomunal llena de rincones, de tantos rincones como habitantes, y reflexionaba: ¿Quién se ocupa de nosotros? ¿Seremos realmente la vanguardia de alguien? Y las bases ¿dónde están?, ¿sabrán que tienen una vanguardia?

El lugar se sentía de tal manera aislado que en seguida de cada ruido, aquella mudez apabullante volvía a ocupar todos los huecos. Las voces se sentían esporádicas, alejadas, y no había realmente a quién atribuirlas de tan inocentes que se oían. Incorpóreas se golpeaban contra la llanura de las paredes, contra los pisos de mosaico; las luces fluorescentes, las actas judiciales, las máquinas de escribir enloquecidas persiguiendo declaraciones arrancadas por la fuerza; el Ministerio Público, los procuradores de justicia; todos agarrados a un léxico de frases hechas, lugares comúnes y reiteraciones. Un silencio de confesionario era ése; de altas naves, de cúpulas huecas, de estolas y crucifijos, de retablos y sotanas; de falsa abstención sexual: la ley.

Sin cobertura ninguna ya estaba como al principio de la vida y recordó, no sabe por qué, su nombre, que a él mismo le pareció extraño, demasiado cierto tal vez y sin sentido.

Ahí el transcurrir del tiempo, el espacio y las cosas; los ruidos, la luz, la oscuridad, el silencio y los olores adquirían un significado diferente, condicionado por la situación. Le parecía que la naturaleza lo había engañado siempre y, ahora, despojado de su vestir —fuera de su escondite formal— se mostraba cual era el hombre: un inerme ante él mismo y su contexto. No se reconocía como él. Resultábase ajeno. Su cuerpo —demasiado verdadero— le ocasionaba un miedo desenterrado de entre la maraña de los siglos; un sentimiento fuera de su alcance; algo superior a lo que sentía frente a sus confesores, delante de sus carceleros. Era otro en esa dimensión; no era él. Le parecía incluso que desde antes permanecía escondido bajo la superficie de lo convencional.

Aturdido, no sabía qué hacer con los brazos, no encontraba en qué ocuparlos, y adquirían de esa manera un significado insustancial. Eran ya un estorbo, una parte inútil de su cuerpo; una clase de negación. Tal vez lo mismo que le sucedió al hombre al principio. Y ahora, al final, ¿para qué le servían?

Empujado por no sabía qué, con las manos como valvas encimadas, escondía el sexo de todos, protegía la prolongación del hombre; su existencia como especie superior, y había muchos recuerdos efímeros que a ratos conseguían excluirlo del presente al sentir entre las manos esa especie de molusco, frío y contraído.

Las preguntas que le hacían, al principio eran cordiales. Sus confesores estaban ridículamente amables con él, rodeándolo como si finalmente hubiesen encontrado algo irreal, alguien salido de un mundo de oscuridad, de un mundo de frases cortas, de información en la memoria, de la discreción; de un medio de movilidad constante, de alerta permanente de decisiones rápidas. *Ellos* querían información rápida y verdadera para atrapar a más de esos seres que les producen miedo. Las nalgas y la espalda le sudaban sobre el plástico del asiento y el respaldo de la silla.

Al principio de la ceremonia le llegaron ganas de orinar que luego desaparecieron; le dolió el estómago y lo mismo, desapareció el dolor; quiso defecar y siempre no. Pareciera que inconscientemente utilizara todas las posibilidades arcaicas de defensa. Llegó a pensar incluso en su sarna entre las piernas, en el entresijo; una persistente mancha roja que ocasionalmente duplicaba con una fracción de espejo para vérsela y arrancarla de ahí como si éste fuera un sofisticado instrumento quirúrgico y sus manos un prodigio de la cirugía; los millones de ácaros colonizándole los lugares subrepticios, y los pasantes de medicina del penal que no acaban con ello.

El que tenía enfrente estaba esposado a una cadena de oro, condenado a ella voluntariamente, sin violencia. Éste no dejaba de mirarlo a la cara, como indagando en el fondo de sus pensamientos, rascando en sus reacciones primarias; incluso la dilatación y el cierre de las pupilas, acompasado por los movimientos de cabeza hacia cualquier punto evadiendo la mirada de su confesor.

Los papeles que entonces le encontraron estaban ahora exfoliados sobre la mesa, y el de la cadena intentaba un orden: hasta arriba un esbozo de análisis de acontecimientos recientes y la posición política de las organizaciones de izquierda amaestrada por la legalidad, en declaraciones públicas condenando las acciones desesperadas, el terrorismo, la violencia y lo ajeno a las masas de este accionar —según ellos. Algo acerca de la correlación de fuerzas y las contradicciones internas del grupo gobernante. Los planteamientos organizativos a nivel nacional. En seguida unas cuartillas con puntos a modo de conclusiones, marcados con asteriscos:

*Grupos de cuadros revolucionarios enquistados en lugares donde no realizan efectivamente un trabajo organizativo.

*Aquel que empiece por negar el fracaso de los focos guerrilleros tanto a nivel continental como nacional, no podrá abordar este problema.

*Todos los grupos armados víctimas de sus propias contradicciones e incapaces para jerarquizarlas, han tenido que sucumbir; divididos al mínimo de miembros, asesinados, perseguidos, encarcelados, en total desarticulación y arrinconados en repliegue inevitable.

*Conceptos erroneos sobre la lucha armada, sin abordar el problema estratégico para la creación de una fuerza urbana capaz de subsistir política y militarmente frente al enemigo, para luego abocarse al problema de apoyo general a otra fuerza rural en combinación con una tercera (fuerza) en medio de las dos; ésta debe ser la cuestión a resolver a mediano plazo.

*Hasta ahora ninguna organización o grupo ha sido capaz de resolver el problema fundamental: la organización consciente de la población para su movilización hacia objetivos inmediatos, mediatos y estratégicos.

*Todos los grupos armados han llegado al mismo nivel de su desarrollo, sin sobrepasar nunca el mismo tipo de actividad, con enclenques intentos de organización.

*"La lucha armada es la máxima expresión de la lucha de clases". Este enunciado visto con oportunismo, ha tenido consecuencias sectarias al marginar a todo aquel que no esté de acuerdo con esto. A más de constituir una especie de máxima que ha originado el agrupamiento de individuos por el facilismo, que no permite ninguna preparación política ni ideológica, resultando así la salida fácil y aventurera de la desesperación pequeñoburguesa.

*No es la vanguardia del movimiento revolucionario aquella organización o grupo que realiza acciones armadas directas en cualquier tiempo.

*El terrorismo —ha quedado dicho y demostrado por la historia— es tan sólo una parte de una etapa determinada del proceso revolucionario, por lo que no puede practicarse siempre aunque esté supuestamente descansando sobre tesis rebuscadas para su justificación; no puede ser la forma principal de acción.

*A una fuerza enemiga, organizada masivamente, no se le elimina físicamente sino que se le debe neutralizar o inmovilizar mediante una línea de acción correcta, objetiva y consecuente.

*El movimiento revolucionario en México, marcha atrás del desarrollo y agudización normal de las relaciones sociales en la producción; de la agudización de las condiciones objetivas —que quizá en su avance ayuden un poco a las subjetivas. Se puede caer en la precipitación al querer recuperar el tiempo perdido.

Los croquis para la colocación de cargas; las fórmulas para su cálculo. La dinamita y el TNT. El cordón detonante. Las explosiones por simpatía. Las bombas antipersonales. La guerrilla urbana.

La adversidad lo obligaba a reconocerse como salido de él mismo en un desdoblamiento onírico que daba origen a una sensación extraña al mirar sus propios restos. Estaba ya separado de su cuerpo, arrumbado; hecho montón sobre una silla. De tal manera liberado de su propio ser, que quedaba así ubicado más allá de las lágrimas; en los márgenes desesperantes del no sentir dolor; de la indiferencia absoluta; flotando en la ingravidez de un espacio sin amarres. La inexistencia del hombre implementada por el hombre mismo.

Desde que empezó aquella ceremonia, se alternaron los confesores representando unos el bien y otros el mal, unos presionando al máximo y los otros en su oportunidad haciendo creer que se oponen a los primeros. Acusándose mutuamente de utilizar malos métodos para hacerse de la verdad, para después atacar uno de los primeros, colérico llegando desde quién sabe dónde, picoteando el aire con el índice por donde le salían los gritos:

—¡Te lo advertí desde antes: aquí te vas a chingar y pude hacerlo desde el principio! No lo hice porque no quise; pero tenemos carta blanca para darle en la madre a cualquiera de ustedes; te puedes morir. —Y agregó mediante una inflexión:

—Te estamos dando oportunidad de que hables porque ya lo sabemos todo. O te mandamos al Campo Militar Número Uno y ahí sí no se andan con chingaderas.

La penumbra apoderada desde siempre de todos los rincones, se subvertía por una cuchillada de sol que pasaba a través de una grieta en la cortina. Ahí dentro entraba por la nariz un tufillo a tabaco mezclado con un olor a patas de mono, a carcelero, a barrote humano.

Las camas como de cuartel, se apilaban arregladas mecánicamente. Las cortinas estaban demasiado tranquilas, como si en realidad no sucediera nada en ninguna parte. Sobre las camas, laxos los disfraces de civil de los guardias, bolsas de plástico con encargos y recetas del ISSSTE en otras. Una muñeca corriente aprisionada en papel celofán. Vehículos de la policía en miniatura. Zapatos ulcerados y pestilentes parecían avergonzados bajo los catres.

Los guardias llegaron temprano hasta las celdas. Enloquecidos por su deber parecía que chillaban como simios, trepando a toda prisa por las ramas de hierro, aquí y allá con sus patas sucias encima de los colchones y las sábanas que tiraron al piso, luego de que a jalones despellejaron las camas; presos en un instante regresivo inexplicable de su existir, dibujado en los rostros con líneas violentas de angustia. Repentinamente, en su afán, se incorporaban como si alguien los llamara por telepatía y miraban hacia los lados igual que perseguidos.

Ellos entraron por delante y los de la Federal de Seguridad —sin atreverse a subir— se quedaron abajo esperando a que los vigilantes encontraran algo relacionado con su búsqueda ancestral.

El agente desasosegado clavaba su inseguridad con los tacones y oscilaba entre él y la horizontal de hormigas, sin volverse para verlo, barriendo la línea ámbar que parecía entrar y salirle a la altura de las nalgas como a un cadáver abandonado. Camisa blanca, almidón y barniz, reloj fosforescente. La mano encadenada. Un dedo metido hasta el fondo de él mismo a través del anillo de oro blanco adoquinado con chispas de diamante. Los acomodos de la cadena en la muñeca y la obsesión del placer sexual al mirarse el anillo, imaginando tocar con la punta del dedo la tibieza de las paredes blandas, el calor de las piernas en la mano. El rostro tumefacto, la voz cavernosa y en el sobaco pólvora, acero y plomo como un anticipo de su propia muerte.

Con un rechinido cromado las manos de uñas barnizadas liberaron un chorro cristalino que se desahogó en el fondo de la tina de baño del administrador de la "O", para ahogarse despacio en sí mismo. El ruido del agua le sacudió la imagen de los canales, el recuerdo de su infancia. La ira turbulenta del agua bronca depositaria de todas las mugres del mundo; arrastrando en su corriente caballos y burros entripados; marranos y gallinas; sandías y melones; las deyecciones del hombre. El corredero de campesinos multiplicándose para domeñarla levantando bordos a la carrera, y al final la calma de todos mirando las bandadas de cuervos y chanates correteando ratas, culebras, arañas y grillos, en tanto húmedos y lodosos fumaban metidos en un silencio atroz, disipando el cansancio en las configuraciones del humo. La imagen de ella brotando desde las matas de virginio de hojas carcomidas, impregnada del aroma silvestre de las flores. La sonrisa guardada en sus ojos llamándolo para la posesión desesperada; para la última cada vez. La hojas verdes del primer plano cortándole la cara. La música del acordeón medio apagada por la distancia. El tallar rasgante de las hojas de maíz, movidas por el viento y por las notas musicales; los dos cautivos del pautado de los sembrados y la geometría de las mazorcas. La superficie limosa del vientre y el estuario palpitante escondido en el hierbazal. Los espejos y el agua de los hoteles cayendo fiel a las formas de su cuerpo que la duplicaban para él.

El agua que tenía enfrente sobrepasaba el metro cúbico. Estaba bestialmente quieta; en acecho animal, traslúcida y melancólica.

Cuando emergía de las aguas, el escurrimiento le producía

una sensación de frialdad abriéndole la piel en alargados tajos. De espalda a la tina, al hundirlo sobre el tablón, parpadeaba desesperado y sus ojos saltaban fuera del agua y lo llenaban todo acusadoramente; una mirada desde atrás del espejo líquido, desde el fondo, desde el más allá de lo inmaterial; tan acusadora o más que la de sus inquisidores. Cada zambullida es el fin y aguanta sin respirar hasta que un chillido agudo se alarga al máximo y parece que se revienta; en ese momento resurge y se oye un chacualeo furioso del agua que lo reclama para ella sola. Moja la camisa, los zapatos y el pantalón de los oficiantes. El ansia desmesurada de la boca abierta robándose el oxígeno de todos, incluso el de las hormigas, aplacada desde lo alto de un brazo que chorrea *Coca Cola* que luego le brota con mocos y sangre por la nariz que no puede limpiarse, acompañado de movimientos espasmódicos contenidos por el lío de mecates.

El silencio, las estolas, el agua, los crucifijos y las sotanas; las hormigas, la subversión de la penumbra, el olor a patas de mono, sus disfraces, el ISSSTE; la esclava de San Juan Bautista y su dedo metido, el anillo, las valvas y el molusco tímido; la correlación de fuerzas; los asteriscos; el agua y sus ojos; el estuario y la mano entre las piernas; la Federal de Seguridad, todo excluido de este mundo por la fuerza de un puñetazo que le cae en el estómago.

—¡Vístete, cabrón! ¡Como no quieres hablar, te vas al Campo Militar Número Uno y ahí sí...!

El Señor de los Anillos trenzaba sus palabras con el movimiento de las manos abotonando la camisa en tanto él recogía su cuerpo exánime para entrar en una especie de resurrección engañosa. La piel estaba endurecida por el frío y el miedo y por el temblor escabroso y sin control de su cuerpo. La humedad le veteaba la camisa y el pantalón en una mímesis sorda. Sentíase hueco, con la mente en blanco; atrapado en un punto de la existencia donde cualquier perspectiva se anula por el presente que se le encima. Parecía recién llegado del vientre de su madre; rescatado de las aguas, casi líquido.

Con una mano el Bautista sostenía un extremo de la corbata y con otra la ensortijaba en ella misma y remataba con una maniobra circular jalándola sobre el cuello, y le dijo para finalizar:

—Y ni cómo decirte que reces, cabrón, ustedes no creen en Dios.

Lo que siempre pensó hacer cuando saliera, luego de vencer a la cárcel, no lo hizo, o mejor dicho no pudo hacerlo, obstaculizado por la vigilancia y la desinformación de su enlace. Todo se le vino abajo. El plan que tantas veces ejecutó en la mente y que incluso ensayó, ha quedado completamente fuera de su alcance:

"El MAR ha roto los diques que lo contenían, José G. Cruz", le diría por teléfono al autor; desde un teléfono público, por seguridad. Sintetizó todo en nueve palabras, quería que fueran nueve. Una novena o un novenario; las nueve palabras; algo que llevara implícita la muerte. Una frase que tuviera una profunda connotación, que le inspirara miedo al viejo.

Tal vez es él quien debió tomar el asunto por cuenta suya;

claro que sí, seguramente así es, no porque él lo quiera sino porque alguien tenía que hacerlo; no puede quedar impune una ofensa así. Agravio que no es contra una sola persona o contra una organización, sino contra todo el Movimiento Internacional en su conjunto. Tenía que hacerlo y así lo hizo; ya había tomado la decisión; hace mucho tiempo que la tomó aunque haya tenido que ir en contra de todos. No —lo persuadían sus camaradas— porque la lucha no va dirigida expresamente contra determinado individuo en particular, sino contra todo el sistema.

Llegó a pensar tanto en la impugnación salida de sus compañeros, tal vez demasiado, tanto que las posibildiades de desechar la idea se transformaron en lo contrario.

Para empezar lo acosaría con llamadas telefónicas. No le daría sosiego ni de día ni de noche; hasta lograr que viera enemigos en todos lados, en cualquier gente; hasta que se sintiera inseguro en cualquier sitio: en su casa, en su trabajo, durante su esparcimiento, en el mismo trayecto de un lugar a otro. Era necesario obligarlo a rodearse al máximo de implementos de seguridad y después dejarlo tranquilo para el golpe final: al abrir o cerrar la puerta, al sentarse o ponerse de pie; durante el baño, en el excusado; al apagar o encender la luz; al subir o descender del coche, al ponerse al volante o encender el motor o de plano con una de tiempo en su editorial con todo y su Sociedad Anónima, para quitarle su anonima to.

Él mismo armaría el dispositivo con doscientos gramos y un detonante de percusión o una magnética sobre el coche, de acción química. O también emparejársele al coche en un trayecto despejado y arrojarle una de mano, ofensiva, y alejarse con rapidez para no quedar atrapados en el lugar. Sí, eso es lo que haría.

El PRI se encargó de distribuir la edición en todo el país. Llegó, así, hasta los rincones más alejados. Los curas se regodearon en misa o en el rosario, en los bautizos, en las confirmaciones; en los casamientos, incluso en las confesiones. En la capital, en los lugares más frecuentados por gente del pueblo, no dejaron muro o pared sin el enorme cartel con la fotografía de cada uno, previniendo a los mexicanos contra la *amenaza roja*, contra los *traidores a la patria*.

Traición a la patria, se llama la edición. En ella la patria está personificada por una hermosa mujer que se alza sobre un pedestal marmóreo, vestida de blanco inmaculado y una cofia con los colores de la bandera nacional. Descalza. El pie izquierdo ligeramente adelantado pisando sobre una cadena rota y en la mano del mismo lado parte de la misma cadena. En la mano derecha un papel semienrollado done se lee: *Sublime libertad.* Tras la libertad —que muestra un hombro sensual y unos senos voluptuosos que no le caben en el corpiño— parte de los traidores a la patria, en el aire, parece que brotan de la nada, armados con fusiles que apuntan a la cabeza, es decir a la bandera. Un par de enormes cuchillos curvos en manos de ellos están a punto de hundirse en la espalda de la patria. Desde luego que los traidores tienen miradas feroces. Atrás de este cuadro apabullante, una bandera roja con la hoz y el martillo y una estrella de cinco puntas y a la izquierda ondea la de la República Democrática de Corea. En la parte inferior de la portada dice: una publicación de Ediciones José G. Cruz. Sí, el del *Santo*; el del *Enmascarado de Plata*.

Los últimos cuadros de la publicación muestran la ira de los presos en Lecumberri ante la declaración —en juzgados— de que se harían secuestros de diplomáticos para canjearlos: "¡Todo menos traición a la patria!" y furiosos levantan el puño. Luego, en un acercamiento a los mismos presos, se ve que gritan: "¡En cuanto un diplomático sea secuestrado, juramos que degollaremos de a uno por uno a esos cerdos, a esos mexicanos mal nacidos!" Se pasa a la siguiente y muchos rostros del pueblo con lágrimas en los ojos gritan: ¡Viva México! y al pie: "Una ola de indignación ha conmovido a la ciudadanía consciente de sus deberes y sus obligaciones para con su patria, agrupándose todos los mexicanos, como un solo hombre alrededor de su guía y Presidente". Más adelante Luis Echeverría, en actitud apesadumbrada, dice delante de un funcionario de su gabinete: "Hamponcetes de mala muerte que al amparo de exóticas y ridículas ideologías van a entrenarse al extranjero para robar y asesinar y todavía tienen la desvergüenza de gritar a voz en cuello que lo hacen para beneficio del proletariado. ¡Lo hacen para vivir de golfos sin trabajar! ¡Malditos sean!"

Al siguiente cuadro aparece la fotografía de Emilio O. Rabasa (Secretario de Relaciones Exteriores) ante los micrófonos de la radio y frente a las cámaras de la televisión para anunciar la valiente y drástica determinación del Señor Presidente de la República: "¡Se ordena salir de inmediato del territorio nacional a los cinco diplomáticos rusos que han propiciado y fomentado la traición en los mexicanos indignos y faltos de su conciencia ciudadana, ajenos a sus deberes patriotas, a sus más elementales deberes de hombres!"

En la página de la misma publicación aparece la siguiente leyenda: "MEXICANO, recuerda estos rostros de perversos agitadores que estaban ayudando a socavar, a destruir la sagrada soberanía de la nación". Y las cinco fotografías de los diplomáticos: Dimitri A. Diakonov, Boris Boskoboinikov (que gestionaba las becas para los renegados que querían "estudiar" terrorismo en Moscú y Norcorea), Alexandre Bolchakonov, Oleg M. Netchiporenko (segundo secretario de la embajada moscovita, conocido ampliamente por sus constantes intromisiones en nuestra política interna) y Boris P. Kolomiakov (primer secretario de la embajada comunista, agitador que alentaba a los traidores mexicanos). Y hasta abajo, en la misma página: "Éstos son los rusos que, amparados por la inmunidad diplomática, abusaron de la generosa hospitalidad del pueblo mexicano... y para vergüenza (sic) y baldón, esta es la GALERÍA DE LA TRAICIÓN, del deshonor". Se le da vuelta a la página e inmediatamente se lee: "Éstos son los rostros que por centurias México recordará con pena amarga, con profundo dolor". Y siguen las fotografías de todos, la suya hasta el final, la del Querubín con su leyenda lapidaria: "...otro importante traidor al servicio de los comunistas ".

Moscú 1967, Danskoy Proyesd, le asalta la memoria: las viejas puertas, pesadas, se abrieron aquella mañana. Tres escalones para llegar a ellas. Dentro, un bullicio entremezclado con voces de conversaciones, saludos y despedidas en ruso; todos cosidos con el hilo del mismo idioma. Un enorme busto de Patricio Lumumba tallado en granito negro; detenido por el escultor en un esguince petrificado y la angustia inalterada de cuando las tropas belgas lo obligaron a comerse las cuartillas del discurso que pronunciaba en el momento de su aprehensión, se alza imponente. El sol de aquella mañana se filtraba por los vidrios de los ventanales del viejo edificio que servía de oficinas generales de la Universidad de la Amistad de los Pueblos "Patricio Lumumba". Lo recibieron con sonrisas de utilería y yacente la información que tenían metida en la cabeza acerca de él y su actividad extraescolar en la Universidad. Ahí estaban el par de españoles mañosos y sedentarios, parapetados en expresiones disuasivas para apaciguar a los muchachos inquietos "como fuimos nosotros en nuestra juventud" —decían. Sus ojos y orejas parecían de pronto adquirir un acondicionamiento especial resultado de la práctica de escuchar aquí y allá. Sus sentidos parecían de mayor tamaño y más penetrante la mirada; poseedores de una rara capacidad para ordenar y discriminar información sobre los "antipartido" entre los estudiantes latinoamericanos. Además de estas orejas había, en ese momento, tres más, incluido el representante de la autoridad en la Universidad. Con este último había tenido ya un altercado en los pasillos de la facultad cuando afirmaba que en México no existían presos políticos (les molestaban demasiado las campañas económicas en pro de Valentín Campa y Demetrio Vallejo que organizaban quienes luego serían el embrión del MAR). Estaba cinchado ya desde que lo invitaron a reunirse con las autoridaes de la Lumumba. Se sentaron todos formándole un cerco a la mesa de centro. Estaba tal vez frente al ramaje más bisoño del árbol del Komitiet Gasudarstvo Biesapasnasty (KGB). El disfraz se les averiaba conforme al desarrollo de la ceremonia, al ir acercándose a las conclusiones armadas de antemano. Flotaban en el aire los signos de interrogación acosando a una sola pregunta que le hacía remolinos en la mente: ¿Cuál sería la acusación?

Para entonces habían ya comenzado los bombardeos a Vietnam del Norte luego del incidente del Golfo de Tonkín, implementado por los mismos norteamericanos. A los del tribunal repentinamente se les endureció la expresión para abrir paso a un despliegue en abanico de varias publicaciones con los trabajos de Ho Chi Min y Vo Nguyen Giap y ejemplares del más reciente discurso de Fidel Castro pronunciado un 26 de julio en el que —en una de sus partes— afirmaba: "...con partido o sin partido, el pueblo hará la revolución"; ejemplares de la *Segunda Declaración de la Habana*, etcétera. Como responsable de prensa de la Delegación Mexicana entre los estudiantes en la Lumumba, su actividad era totalmente abierta, por lo que recobrar los ejemplares de las publicaciones no representaba realmente un serio problema, pero ¿los ejemplares personales con anotaciones y subrayados? Resulta fácil entrar a las habitaciones estando en clases sus ocupantes. ¿De esa manera los obtuvieron? "Actividad antisoviética" fue la acusación. Pruebas: las ediciones estaban impresas en China y el discurso de Fidel era un discurso antipartido. A estas acusaciones anexaron la de "provocador" (esta última salida de los Clubes de la Juventud Comunista Mexicana lastimados en lo sensible de su oportunismo) al colocar en los comedores un periódico mural con una consigna en caracteres mayúsculos a propósito de un Trabajo Voluntario en favor de los presos políticos de México y ayudar a la República Dominicana recién invadida por los marines y en contra de la amañada costumbre de enviar comisiones a estas actividades: “EN EL TRABAJO VOLUNTARIO SE NECESITA LA PARTICIPACIÓN DE TODOS, NO DE COMISIONES SOLAMENTE”.

Llegó a la reja de la puerta de la escuela, estaba ya más cerca de su padre. La mano, mecanizada por la costumbre durante nueve años, se agarró a una de las barras huecas. Al instante le entró hasta la conciencia un estremecimiento delirante que lo jaló a los espacios de la duda e imaginó todo como un sueño, una pesadilla que parecía desmentir a todos; a la misma Secretaría de Gobernación. ¿Estaba realmente fuera ya? Volvió a palpar con la mano su libertad en el papel y la pesadilla se disipó. Estaba inquieto, nervioso; al fin vería a su padre luego de años; como años pasaron entonces, cuando regresó a su casa, del tiempo en que vivió clandestino esquivando los posibles encuentros inesperados en la calle; moviéndose por lugares donde nadie de su familia o conocidos lo hicieran. —El viejo —tu padre— está mal. —le dijo entonces el mismo camarada; su enlace.

En la escuela el viejo vivía rodeado de hemisferios en las paredes, acompañado por un mimeógrafo escondido, anquilosado por la tinta endurecida. Un camastro con las vísceras fuera aguantaba junto a la pared rematado por una almohada sebosa preñada con las nostalgias del hombre; fecunda en sueños jamás realizados, de esperanzas nonatas.

Cuando el autobús tomó la desviación hacia la izquierda para entrar a esa atmósfera de fieras, al bajar le pareció que aquel espacio era un lugar extraño, desconocido para él; que llegaba a un sitio equivocado, pero no, en *realidad* era el mismo y lo aprehendió con todos los sentidos: el aire seco y amargo, los perros y gatos dispersos a punto del estallamiento. Los charcos y el reflejo lodoso del cielo; la gente en equilibrio sobre las guarniciones de la banqueta; el amontonamiento. Olía a promiscuidad, a cuerpos encimados, a humedad en los intersticios. La violencia boyando en el ambiente.

La casa de su madre estaba cerca de la escuela y hasta allá le acarreaba la comida al hombre. Sacaban pupitres del salón y, salidos del cuartucho, sobre ellos acomodaba los platos. Un perro a ratos desesperado y otros tranquilo, aguantaba cerca, sometido por una cadena que le salía del pescuezo, mirando sin pestañear el comer del viejo, y ella atenta, acercándole la sal, la cuchara, el café o la tortilla. Él y ella atornillados por el tiempo a un mutismo impenetrable, sin nada que contarse ya, sólo sus pensamientos cada vez más ajenos; como si hubieran perdido el habla o retrocedido hasta el desconocimiento o llegado a la clarividencia. La casa a medio construir tenía un pasillo de paredes acantiladas. Una osamenta metálica, sin llantas ni radios liberados del círculo, emergía del talud semejante a restos fósiles de pterodáctilo. Una repisa en su desolación guardaba el cuerpo llagado de un espejo que no conseguía ya engañar a nadie; apenas si devolvía imágenes socavadas como un eco desmoronado. Ahí mismo un cerdo —una inversión de capital del viejo— irónico burlábase de la muerte que veía salir del costal de tortillas duras que tenía frente a él. El marrano se movía como abriendo brechas con la trompa para allá y para acá, entretenido en otra cosa tal vez para olvidarse de su trágico devenir.

Como un vaticinio de su muerte, su padre fue de los piojos, de miles de ellos, de todos tamaños; verdaderos ejércitos habían ocupado su territorio corporal, anticipando su defunción. En ese entonces era necesario sacudirle el pelo, bajarlos de encima con un trapo, barrerlos y arrojar el hervidero de animales al fuego y otras veces al agua. Lo mismo que a Rito le hacía su madre con el estramador rastrillándole el pelo untado de manteca para limpiarle la zona de antisociales en aquellas tardes calurosas bajo la sombra de los pinabetes salobres y amargos. Los animalillos como inútiles se ahogaban en el agua en una bacinica aferrados a los pelos.

El viejo —yacente sobre la cama— respiraba con mucha dificultad, lo recuerda. El catre dejaba caer su peso en cuatro ladrillos que le calzaban las patas de hojalata. Una silla de madera, empinada, sostenía al hombre casi sentado, y bajo esta estructura una bacinica sarrosa con agua reteniendo las espectoraciones. Otra silla más, flanqueaba la cama y sostenía ropa lavada de la que hace uso cuando no le alcanza el tiempo para escupir en el peltre.

En esa sordidez se destila un mal olor. El musgo cubría con delicadeza la mitad de la superficie de las paredes, de donde parecía arrancar una pátina herrumbrosa concediéndole un aspecto de antigüedad, una clase de arte rancio, medio conservador y retrospectivo; de pronto se antojaba una alfombra persa. En los rincones del baño, ropa orlada, discretamente envolvíase a sí misma como una ostra. Pedacería de jabón verdoso atrapado en redecillas de pelo.

El padre descansaba su mano nervuda sobre el abdomen, la otra se avenía en un costado. La de encima estaba acompasada al movimiento de la respiración cortado por la horizontal del torrente sanguíneo bombeado a la misma frecuencia; como si uno de los movimientos o los dos, se condicionaran y fuesen al mismo tiempo su desmentido.

El recuerdo encima del recuerdo era en Rito una especie de formación sedimentaria; el acomodamiento riguroso de las capas catárticas que no perdían jamás su posición y que por su elasticidad se acomodaban a las circunstancias. Aquellas manos que parecían respirar también, eran las mismas de la furia que sacaban de raíz las matas de algodón.

Evoca aquel despertar cóncavo de entonces todos los días en la Guerrero; colonia mugrosa, de estómagos ayunos, moscas y humedad; catres desvencijados, goteras, cucarachas y ratas; dedazos rojos en las paredes; la fornicación en las tinieblas, el placer y el miedo; la sobrevivencia diaria; el infierno de todos. Aquella fotografía en su cuarto de azotea en los Windsor de Santaveracruz 67, pegada a la pared, era como un agujero hacia el pasado. Un faltante en el presente que lo atrapaba desde el amanecer, todos los días. La revista de donde vació el recuerdo, en ese tiempo, andaba por ahí arrastrándose de nostalgia, con el alma destrozada a navajazos.

Era un tractor verde lo mismo que un saltamontes que jala tras él un arado de cuatro discos. En la foto, el primer plano —que se abate sobre los más alejados— contiene lo abrupto de las besanas; al mar, al oleaje endurecido, y más allá —en lo alto— bandadas ralas de cuervos como albatros enfurecidos entre nubes de polvo clavándose en un oleaje inamovible, pescando ratas. Los huizaches y los mezquites se repliegan en lontananza, borroneados.

En ese cuarto, la mesa haciendo escuadra con la pared, se retuerce despacio sacándose los clavos. Aguanta un frasco lechoso y residuos de pan como bernales en la planicie. Un picahielo cortado en dos al atravesar la tapa circular de cartón de la botella. Una estufa de petróleo y su quemador se acomodan también sobre la superficie de madera. Libélulas azules de abdomen acordonado y alas traslúcidas yacían ahogadas en los charcos de petróleo que goteaba desde el depósito. En la cabecera del catre —al centro— un Jesucristo maquillado hasta el ridículo; lo mismo que las putas avejentadas disimulando los estragos del transcurrir del tiempo, en una desagradable sustitución de colores, un corazón flamígero acomodado fuera del pecho, ceñido en una urdimbre de ramas espinosas. Vuelve a los huizaches en la fotografía y recuerda a los caballos, burros y perros azonzados por el sol abrasante. Pareciera que ve burros por aquí, caballos por allá, mulas más a lo lejos y perros desesperados en todas partes, con la lengua atravesada.

Todos en el algodonal ocupaban curiosamente un lugar determinado no se sabe por quién; los animales en los extremos —en las cabeceras de las melgas— y la gente atrapada en los surcos. Sin embargo, ese animalero, el gentío y los sonidos imperceptibles en la distancia, parecían conformar un ambiente de premonición; un lugar de urgencia, de huida y persecución a la vez. Olía a meadas espesas de animal y a desechos verdes. La distancia entre las cosas, entre los hombres y animales, la cubría el silencio de todo lo que se movía sin producir ningún sonido.

Los huizaches anaranjados por la coloración de sus flores, se santificaban con una aureola de mariposas sobrevolando en oleadas empujadas por el viento. Los pizcadores eran como símbolos gráficos entre los renglones del algodonal, y cada que se inclinaban para recolectar parecía que buscaban en el fondo de un estanque, emergiendo para tomar oxígeno o al sentir el cuerpo partido a la mitad. Se quebraban despacio hacia atrás y cerraban los ojos para dejar salir un quejido desde muy antes; especie de resumen de su existencia, y se untaban el pañuelo en la frente en un acto de profunda contricción. Otros, con el sombrero en la mano, hacían lo mismo con el antebrazo y miraban hacia atrás para ver el costal entre las piernas preñado de capullos. Aquel día era lunes y desde el caserío de adobes, desvirtuado por la resolana del mediodía, llegaba la música del día anterior; las dedicatorias machaconas y una confusión de voces como de idiomas distintos a la hora de Babel, que escapaba por el micrófono abierto. El desorden terminó de improviso transformado en un diálogo que tenía mucho de secreto, pero que por un descuido de los dialogantes dejaba de serlo, produciendo un cierto malestar y una sensación morbosa de los cómplices involuntarios. Los borrachos con la boca seca y residuos de mezcal podrido, dibujaban con los pies —al caminar— símbolos ininteligibles entre el regadero de botellas vacías, levantando polvo con los huaraches. Los escandalosos se pasaron la noche encerrados en la bodega del ejido, entre los arados y las máquinas sembradoras, y alcoholizados veían como imágenes tergiversadas; furiosos contra los del brazalete rojo, con los de la vigilancia y sus *Máusseres* cardenistas. Él y su madre escuchaban al padre de éste como una voz omnipotente frente a ellos. Se le oía sinuoso, adormecido de la lengua por el mezcal. En realidad al escucharlo era como si lo vieran sin equilibrio, repartiendo mentadas de madre, disparándole al aire con la .38; con los huaraches zafados de las correas, o bien sobre aquel su caballo del que, a veces (como medida de precaución), no se apeaba ni para orinar, chorreándose los pies y mojando el estribo de la silla de montar.

—¡Si te sales, hija de la chingada —recordó—, te voy a dar en la madre! Y los dejó encerrados por varios días, sin más candados en la puerta que los candados del miedo; sin comida.

El niño iba delante de su madre por los mismos surcos, amontonando capullos que ella recogía, callado, preñándole el costal, con el rostro marcado por el miedo físico —anticipo de un peligro conocido—, de pronto sin hambre y una ineludible necesidad de vomitar.

El verbo por el micrófono se hizo hombre y el padre se reveló envuelto en capullos que se le adhirieron al cuerpo en las caídas, purificándolo, cubriéndolo de inocencia; como el Salvador, como a un hombre sin mancha. No traía el sombrero de palma y estaba mojado por el agua del algodonal; por el rocío de la madrugada. El pelo le ranuraba la frente e iracundo atravesaba los surcos. Desde lejos venía limpiando de bellotas y capullos una mata de algodón sacada de raíz, en tanto mascullaba sentencias .

Mientras dejaba caer la vara sobre la espalda de ella, los tres caían atorados en sus movimientos por las guías de las hierbas. El costal entre las piernas de su madre adquiría de pronto una sobrenatural complicidad con él. Era aquello una matriz superficial, fibrosa, de ixtle; un lastre endemoniado que la inmovilizaba. No había tiempo para extirparla, para acabar con ella, con ese embarazo infernal. Desde la distancia se les veía aparecer y desaparecer zambulléndose en el algodonal amarillento, agarrados en un batallar enfurecido. Rito maniobraba lo mismo que un David mutilado, sin honda ni piedras, arrojando con la mano terrones que se pulverizaban sobre un Goliat encolerizado. Los quejidos de unos y otros se invalidaban en ellos mismos y en la maraña y el quebradero de ramas, en el tallar de las hojas esquivando el brazo de la justicia del Salvador, y las patadas y los "eres una puta hija de la chingada y usted vaya y chingue a su madre cabrón muchacho", y de un puntapié del gigante, Rito caía ayudado por el galimatías del hierbazal. Se incorporaba lloroso a pedir que dejara de golpear aunque nada más les mentara la madre y a él le dijera que ella era una puta y él un hijo de su puta madre.

Rumbo al caserío, David y su madre iban delante de Goliat, vencidos; con el orgullo aplastado. Los trazos rojos en la espalda se dilataban más lento que la supuración cristalina desde la carne abierta. Tras ellos oían los varazos triunfalistas sobre la pernera del pantalón. Sus pasos, a tramos, daban la impresión de alguien masticando ramas secas. Los tres cargaban una lápida de hojas verdes y capullos alargados sobre los brazos, atorados en el pelo, sobre la espalda, y en el rostro virutas de hierba. Húmedos por el rocío, enlodados; como animales recién paridos; vaporosos por el sol.

Ella finalmente había sido liberada de aquel embarazo, por el propio Goliat que le desprendió la matriz fibrosa y que éste arrastraba por el terronal, todavía preñada de capullos.

Salió de la cama y las cobijas se acomodaron en una orogénesis tortuosa. Sobre el piso de madera teñida de congo amarillo, los dedazos de esa noche estaban secos y a término de cada uno, el cuerpo vacío de una chinche. Al verlos revivió la impresión escalofriante de tocar en la oscuridad el cuerpo blando y resbaladizo de estructura lenticular al reventarla con coraje, con la rabia bajándole por el brazo. No olvida el olor repugnante al llevarse el dedo a la nariz para oler, como una demostración de triunfo cada que aplastaba una. Sentado al filo de la cama, los pies sin calcetines entraron en los zapatos y el frío de la piel le subió por las piernas. Al caminar, el piso lo resintió y el espejo hizo suya la imagen pasajera. Empujó la puerta de lámina de hierro, se metió en el recuadro sobre el umbral y tuvo una sensación de libertad. De un vistazo miró los tendederos entrecruzados, desconcertantes, respiró profundo desde la azotea. Miró para abajo —a su derecha—, donde barracas se sostenían unas a las otras en aquel vecindario remojado, de azoteas apedreadas, depósito de palos de escoba, alambres herrumbrosos encaprichados, envases de cartón, botes vacíos y cubetas de plástico con cicatrices de quemaduras. Los tendederos remontándose a las alturas, hacia todos los rumbos en un alucinante desorden geométrico a colores. A su izquierda, en la azotea, están los lavaderos: cinco. Quietos, tan apacibles como el agua en las piletas. Uno para cada cuarto de servicio. En el primero ella, con su mamá gorda hasta la deformación de la circunferencia, con dos trenzas convergentes en la cintura; dientes de oro con los que sisea al hablar, un caminar en semicírculos moviendo el cuerpo de la cintura para arriba.

Un mediodía cualquiera, lo mismo que todos los días, ella ordenaba los cuartos de las putas que pernoctaban en aquel edificio en la colonia Guerrero. Su pelo recogido por la espontaneidad de la mano, descubría el cuello delicado, frágil, con pequeños mechones flotantes; inexplorado aún. Recuerda el calor persuasivo de sus piernas en las manos, que entraban despacio, abriéndolas lentamente. Su pataleo convencional sobre la cama, la respiración acelerada. Él, empujando contra el triángulo de nylon, de pie, montada en vilo por la cintura. La profundidad creciente en su mirar, donde caía hasta el fondo; hasta verse él mismo a través de sus ojos vencidos por el deseo. La entrada lenta. El calor líquido salobre inundándolo todo. El rubor de las mejillas. La interrupción repentina. Hasta el fondo estrecho del pasillo los gritos del andar circular llamándola. El retroceso, la vuelta del abismo, la salida de entre las piernas por el triángulo a través de la ventana, hacia Santaveracruz. Atravesó, con cierta tranquilidad frustrada, la Alameda Central, miró para las Librerías de Cristal que se le antojaban invernaderos. Tenía la bragueta húmeda que cubría con un folder de la oficina. Hizo el recorrido mental que haría y, de un vistazo, revisó los cheques para cambiar: Bancomer, Banco del Atlántico, Banca Cremi y Comercial Mexicano.

Ya calmado y con un dolor helado pendiente entre las piernas, pensó en ahorrarse lo que le dio la secretaria para los pasajes si se iba a pie.

Dolorido, concluyó: por la noche iría a los tacos grasientos de nana, de trompa o de buche en la taquería al lado del cine *Mariscala*. O de plano, si no le alcanzaba, se metería al café de chinos *México*, frente al Correo Central, y por la noche batallaría con las chinches otra vez.

Rito se hallaba de pie entre la cama y la pared, próximo a una imagen de la Virgen del Perpetuo Socorro apoyada en el piso y la pared, y postrada ante ella una lucecilla convulsa averiándole la coincidencia a la oscuridad. Desde ahí, a ratos, se ocupaba del acoso a puntos volantes que se movían demasiado lentos, dificultosos, que luego se desplazaban intempestivamente como si respondieran a algún mecanismo automático que los accionara; cautivos de una atmósfera compacta, suspendidos en un mar límpido. El espacio estaba rayonado por un berenjenal de trazos negros detenidos, cada uno, en planos que se abatían unos sobre otros en una trabazón exquisita, desesperante, negándose entre sí en fragmentos de tiempo casi inexistentes por su infinitud, dando paso de este modo a otros más complicados; una permanente transformación cualitativa que descomponía la obra en todos sus elementos. Era tanta la tranquilidad aparente de su vuelo, que solidificaba el volumen diáfano. Desde su distancia hacía esfuerzos por congelar en su cerebro los movimientos sólo un instante que le permitiera atrapar la obra en su conjunto pero le resultaba imposible, como si las mismas imágenes le impidieran cualquier intento en ese sentido, como si éstas racionalmente se opusieran a toda interpretación del arte. La secuencia de los puntos de cada trazo repentinamente se cortaban y el conjunto se diluía encima de los objetos, y daba al traste con todo. Tal inestabilidad no permitía la configuración de algo racional, si acaso una mera abstracción. Algo tan profundamente recóndito que no se entendía nada y el resultado era un arte brutal para los profanos.

Había muchas moscas en el cuarto de su padre.

Las patas del catre, las piernas de Rito y la bacinica se estiraban desproporcionadas alejándose de la ofensiva de la espada horadante. De pie, próximo a la silla de los trapos y muy allegado a la virgen, quiso acomodar el retazo de manta blanca que copeteaba el montón y la mano irreflexiva se ocupó de ello. Al hacerlo se estremeció hasta la fibra más alejada de su ser al encontrarse con una masa pegajosa semilíquida. Entró en contacto con la negación de la vida; con la materia infrahumana, con la entraña del hombre. Tensó el puño sin cerrarlo del todo y la atmósfera pareció helarlo; la presencia de una hipersensibilidad desconocida, que le brotó por la piel como escalofrío, le caló hasta la médula de los huesos del brazo.

De súbito, el hombre se irguió trepidante al sentir que los vivos le robaban el oxígeno que a él apenas si le alcanzaba para morir (—el aire que respira sólo le sirve para recuperar la energía que utiliza para la oxigenación; de tal manera la vida se le va —había dicho el médico).

Delante de la sorpresa que por instantes inmovilizó a todos los presentes, ante el terror de él mismo, trató de ganar la entrada para salir de aquel espacio asfixiante pero resultó a la inversa, fue un moverse en contrario, hacia atrás y al mismo tiempo haciendo un esfuerzo para adelante, como si el aparato motor se trastocara y la resultante fuera la premisa de un movimiento angular que lo percutía contra las paredes, las sillas y el ropero. Despedazó la luna, topó contra el trastero y de paso liberó del orden a los platos. Volaron festivos por el aire vidrios de los vasos, las astillas de la luna y las esquirlas de peltre.

Su padre giró aparatosamente sobre él mismo como su propio eje y se derrumbó exhausto —respirando todavía. La bacinica salió desde abajo embrocándose sobre el piso, y los esputos densos comenzaron a manar lentamente, tan despacio como una síntesis del tiempo, como si llegaran de entre las piernas. Un ruido emergente desde las cavernas de sus pulmones fibrosos rellenó la intermitencia del sollozar de todos. Escurriendo aún, lo acomodaron sentado sobre la silla. Alguien que lo tomó de las piernas, de una patada echó a un lado el peltre contra la pared y éste gritando regresó a su lugar. Otro resbaló como compás roto y cayó de rodillas sin soltar su parte del viejo.

Luego de acomodarlo sobre el asiento de madera quedó atenuado, inconsistente y parecía caer despacio, como el sucumbir de las montañas. A ratos la terrible sensación de asfixia le aceleraba los movimientos del cuerpo y terminaba con la pesadez de la armonía. La mano parecía remachada a un brazo mecánico que sin razonamiento insistía en quitar de encima un sombrero inexistente en la cabeza. Los dedos fríos con uñas amoratadas rastrillaban el pelo y de pronto se agarraban a él para jalarlo con desesperación. Los ojos escapaban de su acomodo natural en un esfuerzo por adueñarse de todas las imágenes de una sola toma; apropiarse de la totalidad de los objetos, de las proporciones, de la relatividad de las distancias; pareciera que los amarres de la vida estuvieran en ese mundo de ruidos, voces, llantos, silencios. Hacia todas partes lanzaba un grito que no le salía o que nadie escuchaba. Hiperactivo, se erguía desplazándose por los rumbos; recorriendo en instantes los caminos, atajos y veredas de esta vida. Es entonces cuando Rito se apronta con la esfera de oxígeno y le tapa la boca y la nariz. Se tranquiliza y el hombre queda como si lo rescataran en la misma entrada a las regiones de la muerte.

Cuando el padre de Rito comenzó a tomar por el último tramo del camino que conduce al final, la madre del Querubín le velaba el insomnio. Para entonces pensaba cada vez más en el suicidio; que la salvación estaba en un cuchillo que apoyaría contra la pared para avalanzarse sobre él y sacarse la muerte; detener todo de una vez; de un solo golpe. La muerte se le anunciaba apenas había una oportunidad. Ella podía verla incorpórea entrar y salir en él en cada boqueo, en cada gesto desesperado. Le toma la mano y lo mismo, sentía la muerte sobre la piel extremadamente inhumana.

Viéndolo bien cómo miraba, era como si los que están prontos a morir vieran de tal manera que ya estuvieran muertos antes de morirse; escrutan en el presente como si ya no les perteneciera, desde el futuro; desde otro mundo. Las batallas más encarnizadas se daban por la noche, y él solo, sin apoyo de nadie; ante la indiferencia criminal de todos, flotaba único en la placenta oscura de su derrota preconcebida; la derrota de la humanidad. Batallaba por encima del sueño de los ajenos; de esos terriblemente inexistentes de tan vivos; de tan ignorantes de la muerte.

La noche del último combate abríase paso por el laberinto onírico de sus fuerzas que jamás combatieron con él a su lado porque jamás tuvo bases. Como pudo, logró llegar hasta el fregadero para lavar su derrota. Los insectos nocturnos dueños de la oscuridad, sorprendidos se retiraron en desorden con su táctica y estrategia inútiles. Decidido, metió la mano al vientre de cemento, le sacó el cuchillo perdido entre las vísceras de lámina, peltre y aluminio, y el espacio se llenó del grito resquebrajado de los trastos, prolongándose a lo largo de la hoja desgastada. En la mano lo vio alargado, tanto como era el tamaño de su derrota; de iguales dimensiones que la oscuridad; violento contra la vida. La afirmación viva de la existencia, palpitante como la misma muerte; enemigo del dolor. En el rostro, tenue se le dibuja una sonrisa, amalgama de ironía y dolor que suaviza una maldición de arrepentimiento, y en seguida lo hundió nuevamente en el abdomen del fregadero. Los platos, vasos, sartenes y cucharas, doloridas volvieron a gritar la muerte.

Llegó el tiempo en que el viejo, su padre, perdió la voz. Al hablar las palabras salían de una oquedad enrarecida que las silenciaba en el camino de salida; un hablar desmembrado en fonemas por la acción diluyente de millones de pelos en las paredes, y parecían envueltas en telarañas; de alguien extenuado, sin habla, como articuladas por una lengua cubierta de llagas.

Con la muerte el hombre afirmó su existencia. Tal vez nunca existió tanto, como luego de su muerte. Al verlo tendido en realidad parecía muerto. Horizontal, estaba sostenido por cuatro ruedas rematadas por botones de fuego que parecían colgar del techo, balanceándose unidos a las volutas de humo que se expandían en la superficie. Por boca y nariz asomaban capullos de algodón cardado. Su piel era transparente y fría; verdosa de tan inmortal, como el jade. La caja gris protegía bajo su amparo un lavamanos rebosante de vinagre y rodajas de cebolla. Cerca se movía una caja de cartón para galletas recibiendo monedas y billetes por entre el vericueto de la congoja de los dolientes. Los hatos de cempoal, atestiguando se acomodaban en el lavadero enraizados en el agua. Alguien organizó desde ese momento el novenario. Los de hinojos hacían trueques de rezos por el descanso eterno del finado. Los coches viejos, picados, carcomidos, vehículos de desecho de los concurrentes —sustituyendo burros y caballos de otro tiempo—, se quedaron a la entrada. Los hijos en otro lado, en un rincón, cada uno con su cartera en la mano, abríanlas igual que si abrieran almejas y prorrateábanse la cuenta de la funeraria, y de reojo miraban el deambular de la caja de cartón.

Olía a vinagre con cebollas, a excrecencias animales y humanas; a carne asada, a cerveza, a cera y pabilo, a flores marchitas; era la muerte.

Los que llegarán por él, tardan. No llegan. Piensa en esto y pareciera tener más prisa que *ellos*. No escucha ninguna sirena el prisionero y sí entremetidos en los espacios mudos, atisbos de alabanzas atrapadas en la distancia salidas como de la oscuridad de los tiempos, sin ningún acompañamiento musical. Se acomoda en su sitio y siente un dolor puntiagudo en las nalgas que se le va por las piernas hasta las primeras articulaciones que encuentra. Este dolor en movimiento lo hace pensar en los que caminan de rodillas, en los penitentes, en los congénitos; en el *Dunlop*, en "Los pelos del sábado"; en Santa Martha.

Al llegar las del pelo, trae a la memoria, nos encontrábamos descargando harina —nada más los guerrilleros— de un trailer al que le aliviábamos la carga a cada vuelta que dábamos hacia las bodegas que se encontraban bajo los hornos de la panadería, bodegas cubiertas de una persistente capa de polvo blanco de la que no se salva nada ni nadie, trozos duros de masa de harina de trigo arrumbados, pedacería de pan; por el piso la costalera enharinada, láminas de hojalata costrudas, quemadas. Las enormes cucharas de madera para la asepsia bucal del horno semejaban enormes remos de alguna galera, abandonados en un espacio que tal vez fue lacustre.

El camión era una enorme bestia fatigada a la que al subir los guerrilleros por una rampa le miraban las entrañas sin vientre, revestidas de lodo seco que atestiguaba su libertad. Nuestros guardias estaban despernancados como ranas sentadas sobre una banca, con las gorras en las manos o a media cabeza, muy peinaditos, desarmándose de risa y nada más por decir algo nos gritaban: "¡Muévanse *guerras*, porque se empiojan!"

Frente al lugar donde andaban hay un jardín con senderos que se fusionan en un punto vertical de cinco mil litros. Si se pone atención se escucha el esfuerzo de la bomba vaciando la cisterna. A un costado de la panadería se halla el comedor de los trabajadores administrativos y de los guardias, pegaditos a la cocina. La entrada también tiene una rampa y los presos ven subir por ahí cada mañana al director de la cárcel y a la vez comandante de la *Brigada Blanca* seguido por sus perros, porque resulta que tiene varios perros que lo siguen para donde va, vestidos de traje lo mismo que él.

Las mujeres, tres, llegaron con sus hijos y unas petacas arrugadas, no por la entrada principal sino por la salida de los desechos rompiendo la vigilancia sin peligro. Los guardias en las torretas eran crisálidas azules encerradas en capullos de cemento y varilla. "Ellas son las de los pelos de ahora", nos dijeron.

Caminábamos despacio, demasiado lento con los costales en la espalda, cubiertos por el polvo blanco que nos sacaba del espacio. La harina y el sudor amasándose les caía desde la frente y los metamorfoseaba al precio de un temblor en las piernas.

Las mujeres y sus niños se acomodaron para desayunar, y el sol recién nacido que entraba por los ventanales de vidrios helados producía en todos una sensación de seguridad dentro de ese ambiente y se averiaba a ratos por la risotada autoritaria de los guardias. Estábamos embalsamados por el pasado; las palabras del director de la Federal de Seguridad al decirnos que *ellos* estaban en el poder, pero que lo nuestro ya no lo paraba nadie y que llegado el momento se pasarían al lado de la revolución, pero que ese era su trabajo. Los países socialistas, sus amplias calles, la libertad de entonces. Los teatros, los cines, las visitas a los museos. La comida caliente en las habitaciones donde permanecíamos antes de cruzar la siguiente frontera; entendiéndonos a señas con el personal de las embajadas o de los consulados en Alemania Oriental, Moscú, Irkust y Corea del Norte. Los pasaportes falsificados, nuestros nombres coreanos; Kim San Do, el mío, la reproducción oscura de nuestras fotografías.

Al verlas llegar con sus hijos al comedor no imaginamos que eran *los pelos del sábado*.

Hace un rato trajeron la cena —y lo revive como si el pasado y el presente no existieran separados o se hicieran uno, o el pretérito fuese tan sólo una mera ilusión o nada pasara nunca. El pan blanco se ha reblandecido y aumentado de tamaño luego de un tiempo de permanecer en el caldillo de los frijoles. El plato de aluminio y la taza con avena agusanada (los animalillos flotan cadáveres ya, amalgamados con la nata. Es necesario dejar que ésta se forme para sacarlos como con red), están sobre el piso de cemento encogido. Nadie ha comido nada y lo que más nos desazona es ver que los guardias se pasean con sus prótesis de caucho en la mano y la gorra atorada en la mandíbula (los que no la perdieron en la trifulca) como si nos fueran a surtir de nuevo.

Frente a las celdas un pasillo nos separa de la pared fundamental y éstas tienen completo el frente de barras atravesadas que ashuran los diques y a los mismos guardias escondidos en sus coseletes de concreto. Paralelas que hacia dentro despedazan nuestra esperanza baldía. Todo esto con el garante de una caja de hierro obstinada en ocultar el candado para que ni el brazo más largo de cualquier preso lo toque, ni siquiera con el pensa miento.

Cuando las crisálidas pasan frente a nosotros drenando por el pasillo, Loyola, sin levantar la cabeza les dice: "putitos gandallas, ya mero clavaban, ¿verdá güeyes? ¡Pero se la pelaron, mulas!" Y lo dice como si en realidad hablara para sí, quedo, para no ser escuchado por otros más que nosotros. Caminan inofensivos, sin haber hecho nada, se golpean con la macana la palma de la mano, que la agarra de la punta y la suelta cada vez. De entre *ellos* están los que perdieron la gorra, los que se quedaron sin corbata o sin zapato, sin chaqueta o placa. Otros se deshilacharon el cierre del pantalón o se quedaron sin botones en la bragueta.

La Cotorra, *El Rarotonga* y yo tenemos delante a Loyola y somos la cuarteta de este cubil. Después de lo que pasó, nadie habla más de lo necesario; parcos por ignorar el devenir. Es tan reducido el espacio y estamos tan cerca unos de otros que podemos oírnos la respiración. *La Cotorra* está a mi izquierda apoyado con la espalda en la pared. Encoge las piernas, y los brazos en la punta de la línea quebrada caen hacia adentro con una suavidad inerte. Incrédulo, al mismo tiempo que se palpa con las manos, se va quejando dolorido por los golpes que le cayeron. Tiene los brazos marcados con rayas azulosas que se diluyen en la coloración amoratada que le dibujaron con esa especie de pinceles, los paisajistas cavernarios; cruces esplendorosas, suásticas y un corazón traspasado por una flecha. Como no es ambidiestro, los trazos del corazón son la torpeza de la izquierda armada con la aguja. Para comenzar marca pacientemente con bolígrafo y aguijonazos que se alargan hasta la axila, picotea levantando los tejidos que quedan como musgo de terciopelo rojo, deja caer la tinta china y no interviene antes de que se forme costra. No siempre los trabajos le resultan y tiene que partirse la madre con el de la infección en el brazo. Tiene el pelo grueso, pesadamente grasoso, parece untarlo con aceite para automóvil; la piel de la cara porosa, medio verde, con grandes pliegues endurecidos por la mugre guardada en los orificios. La nariz le cuelga leve por la punta, los ojos parece que le ardieran por necesidad de dormir, por muchas horas de vigilia, los tiene como arenosos; las manos hinchadas, embalsamadas de sangre. Casi no habla y fuma demasiado. Visto ahora nadie creería que sujetó uno de los pies de la mujer, apoyando con fuerza contra las tablas del piso del foro para que se aquietara en tanto se le montaba *Seráposible*. Se le miraba muy serio antes al *ñorse*.

Rarotonga me flanquea por la derecha. Es un negro de estatura elevada, del estado de Guerrero. Antes de llegarle por acá se la pasaba con las turistas güeras en Acapulco a cambio de algunos dolares y comida, una especie de *Latin lover* de poco vuelo. Le faltan los dientes delanteros que le tiró la Judicial. Al hablar, la lengua le asoma por el hueco y sus movimientos generalmente ocultos resultan impropios, como si batallara para arrojar un trozo de carne cruda que no pudiera comer. Tampoco recibe visitas. Sus padres son ya muy viejos, ni leer saben y viven refundidos en un rancho en la sierra. Siempre en calzón de baño además de andar descalzo, a cuanto preso pasa cerca le dice: "Tierno, ¿te dejas? ¿Sí? Ándale, bájatelos tantito, ¿sí?, ¿cámara? Nada más te voy a llegar de la cabecita pa´trás, ¿sí?"

Al decir esto avanza por detrás saltando y parece que los toma por la cintura empujándolos contra él sin tocarlos, y con un placer en el vacío medio cierra los ojos mordiéndose el labio inferior con los colmillos. Cuando más se divierte a costa de los otros es durante los días de visita. Se arrima a quienes esperanzados divisan hacia las salas de visita en busca de alguien, de algún pariente que tarda. Con cierta habilidad sabe llegar a donde se encuentra el más desesperado (antes se manipula el miembro por encima del calzón hasta que ya no le cabe), se lo saca y lo monta en el elástico y se planta tras el impaciente, lo llama por el hombro con el índice (los demás no decimos nada para ver la cara que pondrá el otro al volverse) y le señala hacia abajo levantando las cejas repetidamente y le dice: "¿no vas a Querétaro?, ándale porque sevacaballo". Antes de que se reponga del coraje y la sorpresa, *Rarotonga* huye propulsado por la risa y al dejar de hacerlo se detiene poco a poco, para y sucumbe por la depresión y casi llora; se apaga y de pronto vuelve al manoseo e inicia otra vuelta al círculo.

Yo soy Jaime pero estos cabrones nada más por joder me llaman *Burger-Boy* y que de guerrillero ya no tengo nada, que ya ni hablo igual que cuando llegué, que no me haga pendejo qué guerrillero ni qué nada. Si tú eres guerrillero nosotros somos astronautas, cabrón. Dicen esto y se ríen a coro, se codean entre ellos encogiéndose de hombros, levantan la pierna, medio se agachan, se la golpean con la mano abierta, chasquean los dedos y yo ya de plano no sé qué decirles; me traen meneado.

Seráposible nunca ha recibido visita conyugal desde que está aquí, así que él sólo se conforma metido en el lugar de las regaderas, en los baños, luego que todos nos vamos a los talleres. Él realmente se llama Primitivo Loyola, pero le decimos o bien *Tivo* o *El Serapio Silva* porque de un tiempo para acá lo conocemos por el *Seráposible*. Y es que a partir de que lo sentenciaron a todo contesta (sin que venga al caso) lo mismo que le contestó al juez al preguntarle éste si estaba de acuerdo con la sentencia o interponía apelación: "¿será posible?"

Loyola tiene dos años encerrado porque quebró el vidrio de un ventanal, sin visita, y ni siquiera conoce al abogado defensor de oficio. Lo tengo exactamente ante mí y estoy entre los otros dos. Es un espantajo ese *Seráposible*, y en ocasiones con sólo verlo se experimenta un miedo extraño, sobre todo por la madrugada, siempre a la misma hora cuando tiene que orinar y sale de la cama y cae al suelo castigando al ruido que produce y brinca quién sabe cómo sobre la taza del excusado y queda haciendo equilibrio apoyado con una mano en la mampara en tanto que con la otra se lo saca sin soltarlo y se le alarga con el chorro parabólico como una línea de regreso al origen del sistema de coordenadas que se clava en el agua escuchándose un prolongado grito líquido que desbarata la alianza entre el silencio y la oscuridad; lo sacude y lo enjaula y nuevamente la misma secuencia, a la inversa. Al principio no era así y llegó a caer en el agua produciendo un ruido de pájaro que se zambulle.

Entre mentadas de madre se quitaba la ropa para exprimirla y ponerla a secar. Su estatura es plegada sobre sí misma y aparenta menos edad que la real. De espalda a la pared, la sangre a cuajarones atrapada por el pelo, se enegrece conforme se seca soltando gotas de agua sanguinolenta. Un escurrimiento endurecido le sale de la nariz, y el rostro se le santifica.

Por más que quiso, Loyola no pudo correr y le cayeron encima muchos de los guardias tocándole así la peor parte. En aquel momento, girando sobre el piso de madera en el teatro, asimiló tan bien los golpes que, aunque se orinó en los pantalones, su silencio resultaba siniestro, como un hombre de sensibilidad encallecida.

No deja de parecer raro, apoyado con las rodillas es como un pecador empedernido, sin remedio, sin salvación; arrepentido siempre. Se protege con un par de tenis que usa con la punta hacia atrás. Asentado sobre el trasero enseña una rodilla con un callo circular al tamaño de la rótula. Perdió uno de los *Dunlop* en la trifulca de hace unas horas. Aunque es mayor de edad, los pies le quedaron más o menos del mismo tamaño que al nacer y, curiosamente, sólo las uñas le crecen y por tallarlas en el pavimento siempre las trae recortadas.

Ahora se registra los bolsillos, saca una cajetilla de cigarros, le vacía las entrañas tubulares y la despelleja para preparar la *sábana*. Gira sobre las nalguillas y puja al tiempo que acomoda la muerte de sus piernas. Se desabotona el pantalón, sigue con los calzones y el ave se le vierte lacia, fría. De ella desprende algo tan bien unido que no se perdió en la vagina. Repta hacia la izquierda y la oruga entre las piernas se mueve sin sentido, igual que un músculo inútil. Alcanza un tramo de papel periódico y en él deja caer un algo de marihuana y regresa el envoltorio a su lugar en el entresijo. Todo este quehacer lo acompaña silbando fragmentos de alabanzas, bendiciendo a Dios y a sus ángeles y celebra cantando que somos cristianos y además mexicanos, que no hay nada qué temer, incitándonos a la guerra contra Lucifer. Repentinamente se silencia, deja de silbar, metiéndose tanto en él mismo que pareciera no existir. Apenas bosqueja una señal entendida para que *La Cotorra* le pase una botella de refresco de la que vacía las últimas gotas negras como su sangre oxigenada, sobre el polvo vegetal para que amarre.

Desde su pueblo llegó al Distrito Federal en una peregrinación a la Villa de Guadalupe. A veces recuerda y nos cuenta que por el camino les daban comida, agua y medicinas. La verdad es que a él no querían traerlo, platica. Los organizadores de la marcha rechazaban resueltamente la propuesta de que viniera con ellos por ser un estorbo, era necesario cargarlo en parihuela o sencillamente andar batallando en el trayecto. Además, decían, qué manda puede pagar éste si como anda tiene para pagar los pecados de todos y le sobra. Los de la oposición quedaron en minoría democrática, así que lo cargaron como a cualquiera de las imágenes. Llevado en alto, por momentos caviló tanto que se creyó un elegido alegrándose de su deformidad. Lo creyó al verse flanqueado por la Inmaculada Concepción y San Miguel Arcángel. Se atrevió a levantar la mano con la señal de la cruz impartiendo bendiciones a la gente que se acercaba al camino, pero para su desgracia nadie le prestó atención. Recuerda a las mamás cuidando a las hijas a las que incluso acompañaban a los barrancos para que hicieran sus necesidades; recuerda a las muchachas en vigilia esperando a que las viejas se durmieran; la columna adormecida abriendo camino con los estandartes de terciopelo bordado con chaquira y lentejuela, las imágenes a colores. Recuerda que los trasladaron a Santa Martha junto conmigo, y que lo ayudé a subir el escalón de la camioneta; la calzada Ignacio Zaragoza hasta llegar al penal; el brincoteo de la *julia* al pasar sobre los camellones para rebasar, y él sin poderse asir de nada, golpeándose como un costal de cebollas contra las paredes de lámina, contra la llave de cruz y sobre la llanta de refacción; la sirena dolorida y las mentadas de madre de los agentes que con la metralleta al aire querían barrer el embotellamiento; a los *Chimecos* de Nezahualcóyotl repletos acarreando gente desde la madrugada hasta la madrugada, y cómo sin soltarse de la armónica en la boca se abría paso entre los pasajeros oliendo de cerca el sexo de las mujeres y esquivando el de los hombres.

Al llegar a Santa Martha, los que ya estaban ahí antes que nosotros, nos recibieron diciéndonos que el sábado tocaba *pelo* y agregaron: el monito fulano es un hijo de la chingada, así que a las vergas; zutanito es chidito, que a perengano todo le vale madres y que el Subdirector es puto y le pasan los guerrilleros.

¿*Pelo*? Nos preguntamos.

Seráposible ha terminado ya de forjar y le da las últimas pasadas con la lengua al carrujo, y quién sabe qué tanto musculle hablando con él, como si no estuviera aquí aunque lo estemos viendo, pensando quizá que realmente logró evadirse por entre las pier nas.

A las cuatro de la tarde los patios, la escuela, las canchas y el campo de futbol quedaron solitarios. Para llevarnos al teatro primero nos encerraron en cada crujía, y aglomerados en las puertas en medio del griterío, la impaciencia, los aventones, los jaloneos, el tentaleo de nalgas y piquetes en el trasero del que teníamos cerca, esperábamos a que abrieran. Al hacerlo se hizo por crujías intentando una formación en fila, y atravesamos el patio central dispersos. Por mucho que los vigilantes gritaban para controlar la peregrinación tenían que correr lo mismo que todos y a tramos lo hacían hacia atrás chocando unos con otros y caían y se incorporaban y recogían sus cosas por aquí y por allá amenazando muy en serio con las macanas para recuperar el orden .

Las filas al principio se ordenaron por estaturas pero luego eran puntos anárquicos convergentes en la puerta del Punto Central donde se encuentra la Dirección. En el teatro los telones verticales como chorros de basalto columnar, parecían escondidos a los lados del escenario avergonzados de su deterioro. Los custodios se alineaban a las orillas pegados a la pared y envolviendo el foro. Como los de la fajina tenemos preferencia en estas cosas, entramos por delante y nos acomodamos en la primera fila. Al poco tiempo, conforme se llenaba el lugar, la bullanga y el griterío se hicieron inaguantables y dio principio un arrojadero de objetos. Las manos y las cabezas subían y bajaban semejando pistones de alguna máquina humana. Curiosamente, en medio de la confusión, algunos trabajaban en perfecta abstracción dando los últimos toques a sus cosas de hueso, otros con omóplatos y fémures de res descarnados, comenzaban a rasparlos con buriles primitivos, algunos más desde recipientes de plástico (sosteniéndolos en las rodillas) ensartaban chaquira de colores con aguja, acomodándola e imaginando el producto acabado cada vez que lo veían. Hubo quienes como penélopes fijaron sus haces de hilo esperando el regreso de la libertad. Tejían y destejían los hilos en busca de los nudos y combinaciones más complicadas y originales dándole tiempo al tiempo. Otros vendían palomas de maíz y otros más, paletas. Voceaban cada quien por su lado esquivando al mismo tiempo los objetos y salían de las filas de asientos persiguiéndose uno al otro inconscientes de ello en esa turba. Los demás inhalaban thiner o fumaban marihuana; era la libertad aquello; más libres que en la calle. Había una escena mitad ficción del futuro o una realidad del pasado; eran aquellos unidos a bolsas de polietileno transparente que flexaban al respirar con sus branquias externas en una agonía profiláctica interminable.

Los de las macanas no sabían qué hacer y estaban como asustados, inútiles, sin poder golpear a nadie sin antes recibir la orden. Al aparecer el Jefe de Vigilancia se formó el primer barullo contra la autoridad. Le gritábamos, chaparro y cabezón: de Oaxaca, el cabrón. Llegó con sus tres amigas de ese día (a diario se encierra con tres distintas para él solo). Tan pronto apareció muy bien peinadito, de manga corta y con la gorra de ribetes dorados bajo el brazo, brotaron los gritos y los silbidos: ¡soy francés, jefe!

En un parpadeo de las bambalinas apareció alguien fumando en pipa tabaco mapleton con vainilla. Con un estilo vulgar la tomó en la mano y comenzó a hablar. Tenía una multitud de rostros delante de él y sin embargo prefirió clavar la mirada por las horadaciones rectangulares de la caseta donde yacía un proyector de cine, hueco de imágenes; como si una cuenca llenara otra o el proyector sustituyera al globo del ojo; un cajete frío, vidrioso, sin parpadeo, oscuro, muerto, y comenzó a decir aquel promotor de difusión cultural acerca del propósito de la Secretaría de Gobernación, de la Procuraduría General de la República y del gobierno federal, de hacer más llevadera nuestra reclusión, no en la cárcel —finalizó— sino en ese Centro de Rehabilitación Social. Apuñalado por la espalda con la rechifla, se retiró hacia un vaso de agua que le extrajo la amargura de la boca y que en seguida depositó en un macetón.

Los niños más pequeños que venían con ellas se adherían a las piernas de sus madres como si también quisieran salir a escena, en tanto los mayores los arrancaban a tirones y así, incompletas, aparecieron.

Comenzaron a moverse sinuosas al ritmo lento de un par de tumbas aderezadas hasta el delirio con espejos, dibujos de palmeras, siluetas de gaviotas lánguidas, un mar pastoso y el anaranjado de un atardecer premonitorio. Sus aguados senos se movían como flagelos esforzados en aparejarse con el ritmo general del cuerpo, golpeándose contra él como aplausos reprimidos.

No obstante que el baile de las tres no despertaba mucho interés, ellas seguían acopladas con su vaivén al de las manos que golpeaban las tumbas. Un fulano pisándole la raya a los cincuenta, de blanco hasta los zapatos, corte de pelo castaño oscuro, esclava en la muñeca y el pelo controlado con vaselina; alguien así como un padrote de azotea bailoteaba ridículo sin dejar el mismo espacio y daba la impresión de tener urgencia por llegar a los mingitorios. Les gritaba a ellas con tanta indiferencia que se movieran más, que el espectáculo resultaba rutinario y degradante, aunque a nosotros lo que nos inquietaba era llegar hasta donde teníamos que llegar. Les pedía que le dieran gusto a la cintura, mira así con sabrosura padelante y paratrás y las llamaba "negras" aunque no lo eran.

Ese día era sábado y todos un grito cadencioso de lujuria: "¡peeelo!, ¡queremos pelo!"

El par de manos de cada una recorría el cuerpo desnudo de la otra sin saberse realmente cuál. Trepaban por los senos perezosos, bajaban por los costados hasta las nalgas y regresaban por enfrente merodeando con aparente indiferencia el hueco luminoso de la libertad. No se entendía de qué maldita forma lo hacían pero las manos se interpolaban con ánimo propio escudriñando cada superficie triangular, queriendo encontrar la salida entrando por alguna parte con las manos, como salieron al principio. Hurgaban con tal apuro que parecían prisioneras en sí mismas, en su propia vida, y buscaran escapar. Metían la mano empujando con determinación y de pronto no se sabía si los gritos, los pujidos y jadeos y ese retorcerse eran de dolor, angustia, miedo, impotencia o todo a la vez por una verdadera necesidad de alcanzar la libertad.

Pasado un rato estaban rezumantes, sin aliento y con la mirada unánime. En esta situación —para asombro de todos— se metían los dedos glutinosos a la boca y paladeaban y extendían la mano cada una preguntando si queríamos. Como si todos esperaramos tal señal, esa orden omnipotente, se hizo aquello un campo de polarización microscópica de flagelos contra el otro polo; de espermas contra óvulos.

Los guardias, el capitán y sus muchachas por un lado y los presos por otro, hacían de aquello un hervidero desenganchado; una persecusión irracional sobre el piso del foro hueco al que le salía un ruido desordenado, en los surcos del sembradío de asientos; un ajetreo amasado con gritos, patadas, caídas y maca nazos.

En cierta etapa del desarrollo de aquel batallar, los guardias se pasaron al lado de los presos al iniciar la embestida final contra las vedetes y las mujeres del Jefe de Vigilancia que, arrinconadas, se agarraban el vestido a la altura de las piernas tapándole la fuga a cualquiera que quisiera evadirse. Gritaban aterrorizadas ante el ataque sin misericordia de nuestras fuerzas. Las tumbas cayeron e iban y venían de uno a otro lado desesperadas, sin sosiego; centelleantes por los espejos que se veían como disparos de un arma de rayos; girando sobre sus alas de mariposa niqueladas. *Seráposible,* sin ser él, intentaba subir a escena y se derrumbaba y volvía a intentarlo en medio del corredero, los gritos y el ruido de los pasos sobre las tablas, pisando con las rodillas a los que también caían en su intento al pie del foro donde los vigilantes parecía que los acumulaban jalándolos de la ropa, del pelo o bajándolos a garrotazos.

Cuando nuestra vanguardia logró posesionarse de ese punto, desde arriba le gritamos por todos sus nombres: "¡*Seráposible*! ¡*Serapio Silva*! ¡*Tivo*! ¡Primitivo Loyola, súbete, no seas pendejo!, ¡ayúdalo *Burger-Boy*, cámara!"

Arriba corría a impulsos convulsivos como si estuviera estructurado de resortes. Con los brazos aleteando dejaba la impresión de una figura extravagante de pájaro lujurioso que sin poder hacerlo quería volar. A cada intento por meterse entre las piernas de una, caía y se arrastraba para quedar fuera del alcance de las manos y macanas hasta que finalmente, como albatros en medio de la tempestad, logró clavarse en aquel mar libertario al grito de: "¡Viva Cristo Rey, hijos de suchi...!" Se trepó a la que le sujetábamos, y veíamos la desesperación con que se desabotonaba la bragueta. ¡Órale, güey, clávatela; no te apendejes! Y ahí estaba también en su esfuerzo inútil condenado de antemano, queriendo regresar después de treintaicinco años, al ritmo de su incredulidad cadenciosa diciendo: "seráposible, seráposible, seráposible", hasta que se rindió ya sin fuerzas, vacío; sin evadirse. Aquí está el güey todavía, tan tranquilo que pareciera tener derecho a fianza.

Al día siguiente los propios fajineros limpiamos todo en el teatro y hacíamos a la vez , un recuento. Los telones seguían impasibles en su misma vergüenza reforzada. Recogimos estopas, pedazos de cigarro en papel de estraza, botones dorados, azules; águilas y serpientes de metal, zapatos negros y uno blanco, palomas con su blancura percudida y pedacería de calzones de las amigas del Jefe.

Ya vestidas, primero las llevaron ante el Director y éste las acompañó hasta las oficinas de Trabajo Social. A los niños les regalaron dulces y con ellas se disculparon por nuestra mala conducta, pidiéndoles entendieran que éramos lo peor de la sociedad pero que estábamos en proceso de rehabilitación.

Más tarde, sollozantes todavía, en tanto llegaban al comedor nuevamente, se limpiaban las lágrimas y se abrazaban como si extraviadas se encontraran. A esa hora —ya en el comedor— se oía mucho ruido de peroles, el resoplar de las marmitas y gritos de aluminio al golpearse los recipientes unos a otros. Algunos presos entraban y salían de la cocina sin volverse para verlas. Acomodaban los recipientes en carritos para llevar la cena hasta las crujías: un bolillo, frijoles herrumbrosos enteros y avena con gusanos.

Para mirar al padre por última vez, al llegar al panteón, abrieron la tapa del féretro y se escapó el respirar helado de la muerte. El sueño les ajaba el rostro a unos, otros estaban marcados por el llanto y a esa hora todos callados, moviéndose adormecidos. Al verlo, dudaron de lo inexorable de la muerte, del significado real de ésta. El cuerpo no estaba ya en la misma posición sino ligeramente vuelto hacia la izquierda, como el resultado de algún esfuerzo pesado para volver. El rostro afirmaba el vacío del cuadrángulo donde estaba. Un retazo de tafeta aliviaba con su blancura todo índice de sufrimiento; el dolor desaparecía entre los surcos de los pliegues orográficos alisados dejando a la vista de los vivos un rostro sereno, imperturbable. Aún había piojos secos como hojuelas atrapados entre el pelo gris; secos como el tamo. Una mosca diminuta, de poco tiempo, aflorando a la vida, en un rito iniciático se movía cautelosa sobre la vastedad de la superficie de la cara; tanteando desde ese momento el tamaño de su hartazgo con los restos de mi padre –observó Rito.

Todo esto lo recordaba Rito el último día del novenario.

Colocada al centro de la habitación, una vela construía con sus desechos su pedestal y alrededor de ella los de hinojos eran esculpidos por la luz que le sacaba formas humanas a la oscuridad .

Día noveno:

"¡Oh! Madre del Perpetuo Socorro, que te ostentas ceñida con preciosa aureola y coronada con rica diadema de oro y pedrería; ayúdame a conquistar la hermosa corona de gloria que Dios tiene preparada en el Cielo para todos los que fielmente le sirven; con ese fin, Madre mía, ayúdame a evitar el pecado y practicar las virtudes, no me niegues tu socorro en vida y sobre todo en la hora de mi muerte; defiéndeme ante el tribunal de tu Hijo para que no caiga en el infierno y no me olvides en el purgatorio; haz que vaya pronto al cielo a darte gracias por todos los favores que me habrás concedido y en especial por el que en esta Novena te hemos pedido. Así sea".

La madre de Rito estaba ahí también, en el velorio, embrollada en sólo Dios sabe qué pensamientos, como ajena al acontecer de la muerte; una más de las hincadas pidiéndole por su cuenta al Eterno, que a la hora de su muerte no la enterraran cerca de él. Estaba ahí cincelada en la oscuridad, sacada del ninguneo de toda su vida al lado del hombre; como una virgen rescatada del tumulto. La misma virgen del llano que se encuadraba en el marco de la puerta del jacal de carrizos dorados, machete en mano frente a las tormentas, cerca del preludiante volar de las golondrinas al filo del agua sobre aquellas tierras flacas, retando al nuberío relampagueante que llegaba desde las montañas aparejado con un viento frío impregnado a olor de gobernadora y chamizos —con Rito montado en el brazo izquierdo como si sostuviera en peso al Niño Jesús pusilánime— destrozando a machetazos a los dioses del averno para el advenimiento de la luz.

Jalado por una escoba tras él, arrastrándola, salió del aula. Un perro, fiel todavía, abríale camino.

Por fracciones de tiempo el hombre quedó aturdido por el golpe violento de su paso de la luz a la oscuridad; del todo a la nada, de la existencia a la negación; al mero esbozo de su figura que era así un agujero negro en movimiento, una materia sólida en el espacio hueco; un vano que acortaba la distancia entre los dos a cada paso —entre el padre y el hijo—, seccionado en diagonal por los barrotes de hierro. Estaba empolvado y su cuerpo despedía un olor a gis y a lápiz rebanado por el sacapuntas. Ocultaba su identidad tras un pañuelo que era, por necesidad, su propia negación.

En realidad el hombre era sepulto desde antes, desde el principio; desde que le cayó encima por primera ocasión el polvo del suelo limo del barbecho. Ya no tenía en él el olor a hierba, ni en su hábitat hoces o alfanjes, ni palas ni azadones; ningún caballo ni montura. Por sustitución eran escobas, recogedores, jaladores, cubetas y jergas; mapas orográficos indigestos de símbolos ininteligibles para el conserje. Las aguas bebiéndose a los macizos continentales; el sistema solar sacado de su galaxia colgado de la pared. Ahí vivía orbitando también en el equilibrio universal; metido en la proporción inversa del cuadrado de la distancia entre los planetas, sus satélites y los asteroides.

Divididos el padre y el hijo por las barras de la puerta de la entrada a la escuela, el tiempo y el espacio se hicieron los mismos del encierro; las dos dimensiones se acomodaron hasta coincidir en una misma. ¿Quién de los dos se hallaba preso realmente? ¿Sería acaso la libertad algo todavía desconocido para el hombre? ¿De qué lado de ese dique metálico estaba la realidad? ¿Sería ésta tan sólo el transcurrir enajenante del tiempo? —se cuestionó Rito.

Al viejo se le exprimió el alma y era como si las aguas se desbordaran sin freno para invadir los continentes; penetraron la hidrografía deteriorada de su rostro helado. Ahogó en sí mismo, en sus mismas profundidades, un grito desproporcionado, y el hijo todavía alcanzó a decirle: el mar ha roto los diques; ya estoy aquí otra vez.

A Ignacio Trejo Fuentes

El enlace de Rito y el niño que fue en su busca cuando el policía le dijo que lo hiciera, caminaba de prisa sobre la banqueta reventada de la calle principal, y sentían llegar desde el camellón socavado un hedor a animal podrido. El lugar es salitroso. La sal de la tierra forma una nata amarga con el lodo seco. Hay mucha basura y manadas de perros que deambulan en pandilla, que se huelen el trasero para identificarse y en armonía buscan en la suciedad de la sociedad.

El niño que traía a Jaime trotaba a su lado, al parejo, descalzo, y era —en ese caminar— como si a los dos los uniera una misma trabe. Tenía rasposa la piel de la cara; levantada como el pavimento. Elevaba los mocos a cada resuello y al hablar enseñaba el desorden de los dientes. A lo lejos, en el espacio intermedio, vieron las perforaciones que hacían un enjambre inmóvil de lucecillas que avanzaban hacia ellos como si no lo hicieran; como si por estar la línea visual de los dos en la misma trayectoria del desplazamiento de la gente de aquella procesión, en realidad se encontraran detenidas.

Cuando la relación entre los movimientos se confundía, por fracciones de segundo el universo parecía detenerse perturbando las funciones de la mente; ellos mismos, era como si caminaran sin hacerlo en realidad. Como si nunca fueran a llegar.

A medida que la distancia disminuía, el enlace se preguntaba si su compañero recordaría la plática con él el día anterior. La sospecha sobre las intenciones del camarada se acentuaba y debía hacerle ver que no prosiguiera en su intento. El día que hablaron era viernes y caminaron un rato por el mismo camellón de la avenida, pisando sobre bolsas de plástico que dejaban salir un suspiro árido y polvoriento. Ahí estaban como cada semana los tianguistas —una especie de sobrevivientes de la catástrofe universal— vendiendo desechos: tinas de baño despostilladas sostenidas sobre patas de león; máquinas de coser agotadas; maniquíes humanos con el tórax perforado. De entre toda esta orgía de tiempo, óxido y salitre, destaca la figura de Jesucristo parado en medio de los mercaderes, en el centro del Apocalipsis; un Jesús metamórfico del que nadie se ocupa, tercamente redentor, predicando entre sordos. Es de madera roñosa con alargadas brechas, de pelo alambroso que le brota de la cabeza en manojos injertados por algún inepto; una imagen residual era la suya. Los despojos del Redentor de la Humanidad; un charlatán luego de ser vencido. El Divino Rostro carente del labio superior ha trocado su expresión agónica y misericordiosa de súplica al cielo, en una mueca de burla de sí mismo y de su intento. Para Él ese espacio caliente y las tolvaneras, el ruido amorfo y los animales muertos, la insurrección de los perros, la violación de menor, el estupro y la guerrilla urbana, los mercaderes y la irreverencia de todos, sigue siendo el Gólgota.

Aquel mediodía sofocante se sentaron sobre la guarnición de la banqueta frente a la escuela primaria. Los dos tenían las rodillas cerca del pecho, y a ratos extendían las piernas, en tanto con tramos de alambre en la mano —mientras hablaban— removían los guijarros de la calle; cada uno desbrozando una porción del suelo con tanto esmero que parecían los dueños de esa superficie de todos y de nadie, o su acción el reflejo de un hábito meticuloso y perfeccionista. Al hacer esto y hablar, miraban un gato helado frente a ellos que tampoco les quitaba de encima la vista sin parpadear. La mirada del gato de tan firme pesaba. Un terror interminable en sus pupilas contenía también el registro de la imagen y el tiempo congelados por el obturador de la muerte violenta y repentina. Un delgado escurrimiento púrpura salía de entre los pelos de la oreja perdiéndose en el hocico en tanto un mosquerío escandaloso hacía esfuerzos por pasar entre los dientes y la lengua sin gobierno, cubierta de tierra.

Comenzó negando cualquier intención de su parte. "Cómo voy a pensarlo siquiera; ni por dónde". Y agregó: "no seas cabrón conmigo". Pero un "no seas cabrón" de esos que no tienen réplica, salidos desde lo más recóndito; con toda la vehemencia de que es capaz un hombre que está acorralado y tiene conciencia de ello.

Estaban en eso cuando repentinamente el estallido del griterío infantil salido de la escuela rompió el diálogo. Las niñas de piernas salitrosas cargaban mochilas deshilachadas y eran bellas a pesar del salitre. Sus senos despuntaban firmes y tiernos, y se movían en libertad al parejo de sus brincos. Sin pensarlo, se volvieron para encontrar sus miradas, y las imaginaron desnudas y calientes, escondidos con ellas entre las piernas, y al tiempo bajaron la mirada hacia el animal impulsados por un estremecimiento sentencioso.

El lugar donde tenían a Rito se encontraba hasta el final de la colonia, sobre la avenida. El vigilante de la puerta visto desde lejos salía de la pared, y desde el momento en que los divisó acercándose se dio a la búsqueda de la llave en una ensarta extraída de la bolsa abocardada de la guerrera de policía, confeccionada en Santa Martha. Rito lo mira y de inmediato una profilaxis de imágenes deshilachadas lo envuelven resultándole imposible librarse de ello.

El motor de las sillas. El hueco en la tierra. La feria se va. Las *steelson* aflojarán las tuercas a mordidas. Desarticularán las articulaciones. Caerán hierros sobre hierros. Los malacates exhumarán lo que dice Ho Chi Min / llegamos a la ciudad de México por la tarde, inmovilizados con mecates, ciegos. Para traernos nos metieron a la caja de una camioneta que cubrieron con una lona. Entramos a un estacionamiento subterráneo, a un edificio donde estaban las oficinas de la Dirección Federal de Seguridad. Tras una puerta, por entre las bisagras, una voz afirmaba que el que estaba ahí era yo y que él no tenía ninguna participación.

—Mira nada más cómo te dejaron. Por más que les digo que no es necesario golpear tanto para que confiesen, no entienden. En Sinaloa te trataron muy mal. Aquí no somos tan pendejos. Quiero que colabores y me digas lo que sabes; nada más la cuestión política. Ahí donde estás —sigue diciendo— yo personalmente estuve investigando al Che Guevara, a Fidel Castro y a su hermano Raúl. Todos hablaron. A Fidel Castro le voy a conceder que es muy listo; al rato de que lo tenía aquí se había ganado ya la confianza de todos nosotros pero Raúl; ese es un cobarde, me lloraba implorando, aquí mismo donde estamos. Además debes saber que todos los que han sido detenidos como tú, han pasado por mis manos. Ninguno ha dejado de decirme lo que he querido saber, a todos los he tenido de rodillas.

—¿Sabes quién soy?

—Obregón Lima.

Díganle a Obregón Lima que estos cabrones ya lo traen.

—Ya sé quién eres y en qué participaste. Tengo ya las declaraciones por escrito de uno de tus camaradas. ¿Quieres que las traiga? Le dicen *Kubala*. ¿Lo conoces?, ¿te acuerdas de él? Lo detuvimos cuando regresaba de un congreso médico en Guatemala. ¿Quieres saber cómo lo convencí? Por medio de su carrera y su familia. Le pediste una receta sobre el uso del Pentotal. Lo visitaron tú y Manzo. Hablaron de un secuestro. Lo sé todo, pero quiero que lo confieses por ti mismo. Ya sé quién eres, pero quiero que tú me lo digas; ¡quiero escuchar que tú me lo digas! Quiero que me digas tu nombre, tu domicilio y el de tus compañeros. Todo en lo que has participado. Organización. Cuántos comandos la componen. Cómo funciona, quiénes son los jefes, dónde entrenan, cuánto te pagan. ¡Comenzando, cabrón!

—Ya les dije que no sé nada.

Estábamos metidos en el gimnasio y Nassar Haro estaba ya colérico.

—¡Levántenlo y súbanlo a las paralelas! Vamos a ver si no hablas. Esto es una guerra y te tocó perder. Estás en mis manos y solamente te queda hablar lo que sabes. Todo ha cambiado para ti. Mientras tú estás aquí aguantando —haciéndole al héroe— tus compañeros, tus jefes, están en su casa con su familia o divirtiéndose y gozando con el dinero que tú has robado o expropiado —como dicen ustedes. Porque todos los que son como tú, son delincuentes. ¿No te das cuenta que te están utilizando? Ustedes son la carne de cañón, los que se joden y quienes gozan son tus jefes. ¿Qué caso tiene que los cuides? Hace tiempo agarramos a un doctor —de la gente de Genaro Vázquez. Lo hubieras visto cuando lo investigué, viejo culero. La casa que tiene, una mansión. ¡Y se dicen defensores del pueblo! Te puedo poner en medio de la gente, incluso golpearte frente a ellos y a nadie le importa. Les puedes hablar y nadie te hará caso; ustedes están solos. Te puedo partir la madre y a nadie le importa. Entiéndelo, te están utilizando. Otros ponen las ideas y gozan de todas las comodidades—.

Cuando se produjo el secuestro de Duncan Williams, cónsul honorario de Inglaterra en el estado de Jalisco, me sacaron de la cárcel hasta el cuartel militar del 4o Batallón de Infantería llamado *La Mojonera*. Era de día cuando llegaron por nosotros. Nos recibieron a patadas entre las piernas.

—Conque te querías ir a Pionyang, ¿eh, Ho Chi Min? ¡Aquí te vamos a dar tu Corea!

La policía fabricó una lista de cincuenta presos de distintas cárceles del país, que supuestamente, se exigía fueran enviados a Corea del Norte, pero se hizo tan burdamente que algunos presos se negaron a salir ya que constituía algo de grandes proporciones contra los presos políticos.

En septiembre del 74 se efectúa el secuestro de Zuno Hernández. Era por la tarde cuando en la cárcel oímos la noticia por la radio. Al poco rato llegó la orden de encerrarnos y sacar de inmediato a la visita.

Lo que siguió al secuestro de Zuno Hernández empieza así:

La visita fue obligada a salir antes de tiempo —ese día— y nosotros encerrados en celdas individuales. Los represores llegaron en masa al "Rastro", por la noche, atropelladamente. Policías de todas las habidas —la DIPD de la ciudad de México, el ejército y por delante la Dirección Federal de Seguridad con Miguel Nassar Haro a la cabeza. Algunos compañeros opusieron resistencia a la excarcelación pero fueron sometidos y sacados a puñetazos, patadas y macanazos. Nos llevaron hasta el locutorio del penal y ahí tirados en el piso vendados y amarrados nos seleccionaron. Más tarde nos echaron sobre el piso de una *Wyllys* del ejército para llevarnos nuevamente a *La Mojonera* donde nos golpearon y armaron simulacros de fusilamiento, nos dieron a beber mucha agua y luego nos aplicaron descargas eléctricas. Algunos compañeros fueron colgados por las muñecas con los brazos colocados a la espalda que les producen lesiones irreversibles en los tendones de los dedos de las manos.

—Ahora sí se fueron grandes, cabrones —nos dice Nassar. ¡Mira que secuestrar al suegro del presidente de la República! Hubieran secuestrado a otro, a mí por ejemplo, a Fidel Velázquez; pero no a ése. Yo creo que de ésta no sales.

En esta investigación de Nassar Haro predominaba su papel de torturador. Posteriormente —cuando Zuno Hernández fue liberado— dice: "lo hubieran matado".

Durante este tiempo también recibí la visita del General Federico Amaya, que tiene un enorme parecido con *El Charrito PEMEX*: bajo de estatura, gordo, moreno y patizambo. Para verlo me llevaron a una sala grande, había varias sillas, un escritorio, un pizarrón y un mapa grande muy detallado del estado de Jalisco y sus alrededores; el mismo sitio donde nos habían torturado horas antes. Me acomodé en una silla adyacente a la del General pero no al frente, por lo que para verlo tenía que volverme. Estuvo habla y habla.

Quiero que me ayudes. Las órdenes que tenemos para ustedes son terminantes. No quiero que me digas cómo le vas a hacer, pero comunícate con Ramón (Campaña López, mi hermano) y dile que suelte a ese hombre (a Zuno Hernández). La situación para ustedes es muy difícil. Tenemos órdenes de que si lo matan, nosotros los vamos a matar a ustedes. Busca la manera y dime qué es lo que necesitas, pero que lo suelten.

Así estuvo hablando un buen rato. No me parecía muy convencido de lo que decía. No me permitió contestar ni sí ni no. De pronto se puso de pie y se fue. En seguida entraron los soldados que me llevaron a los baños en los que tenía mi alojamiento.

Todavía alcancé a verlo alejarse y a la tropa haciéndole caravanas. Había mucho movimiento a mi alrededor, helicópteros iban y venían tras alguna pista que alguien les proporcionó.

—Quiero que me digas cuál es el pueblo donde tuvieron la reunión —y comienza a inducirme—. En seguida del campo de entrenamiento. Una vereda. Tú eres el único que lo sabe. Salieron por tal parte. ¡Habla!

—Ah, sí. No, yo no sé nada. Yo siempre voy con los ojos vendados y agachado para no ver nada; así me llevan siempre. Si alguien dice que vio algo a él pregúntele. Yo no sé nada.

—Por la noche hubo gran movilidad: vehículos y gente, órdenes por radio. Nos dieron los zapatos y la ropa que nos habían quitado. Nos subieron a un vehículo que partió con una caravana que no dejaba de comunicarse por radio.

—¿A dónde vamos? ¿A la Procuraduría? —dicen entre ellos—. No, a la casa de la Colonia. Y cállate porque aquí va este hijo de la chingada. ¿Y eso qué? ¿Cómo que qué? ¿No ves que estos cabrones son guerrilleros? Ah sí. Y según dicen éste no ha hablado. Me lo deberías de prestar un rato pa ver si no lo hago hablar. Pa empezar lo iba a poner amarradito en un hormiguero. ¡Tú ya sabes! No, éstos no son iguales a los que conoces.

Llegamos a una casa. Nos encapucharon, pero advertí que era de dos pisos. En la parte de arriba estaban las salas de investigación y las oficinas. En la planta baja el hogar de alguien. Al llegar, una mujer planchaba. Ya sin capucha subimos por una escalera estrecha. Más tarde —de pie contra la pared— nos tomaron medidas y nos rociaron con aroma de rosas en spray. En seguida nos metieron a un clóset. En ese instante supuse que estaban construyendo cajones a nuestra medida; incluso imaginé que los ataúdes estaban parados y cada uno dentro del suyo.

Había mucha gente, estaban por todas partes; gente a la que

también investigaban. Entre todos se encontraba un maestro que andaba de vacaciones, que no sabía nada de lo que le preguntaban y a cada momento quería saber la hora en que lo soltarían.

En ese tiempo nos vigilaba gente de la DIPD llegada desde la ciudad de México y cuya función —entre otras— era la de no dejar dormir mediante ligeros golpes aquí, una patada por allá, un chiste o bien poniéndonos a hacer lagartijas, etcétera.

Una tarde de esos días llegó Nassar.

—Quiero que hagas un llamado público a través de la radio, la prensa y la televisión, en el que pidas que suelten a Zuno Hernández.

Algunos compañeros —que ya lo habían hecho— me lo pedían también apoyando a Nassar Haro en su petición. Según éstos era un decisión "democrática" en la que —por cierto— me sentí solo.

Ni asentí ni negué nada ante la petición. Simplemente me quedé callado como símbolo de desaprobación. No lo hice, ni lo habría hecho, bajo ninguna condición.

Otra tarde de los mismos días, cuando los de la DFS se disponían a salir, se escucharon varios disparos a lo lejos. Todos los agentes en lugar de irse entraron corriendo asustados, atropellándose unos contra otros, brincando por encima de muebles. Fue Nassar quien luego se tranquilizó y entre risitas nerviosas:

—¡Cálmense! ¡No ven que aquí está este hijo de la chingada y nos está viendo! —les dijo a todos, que estaban pálidos.

Un día después de este incidente, como al mediodía, me enteré de que habían detenido a mi padre, a una tía y a mi hermana y sucedió lo que sigue:

Nassar: —Lávate y péinate. Vas a salir. Tu padre quiere verte.

—No quiero ir.

Salió, llamó por teléfono y en seguida regresó.

—Lávate y péinate. Tienes que ir.

Salimos en una camioneta *Combi* y al rato llegamos a una casa de campo con mucho césped en su interior, bien cuidada. Me recibió la familia Zuno: la esposa del licenciado Zuno Hernández y su hija María Esther, esposa de Luis Echeverría, presidente de la República.

La señora Zuno, mujer de una gran entereza, de aspecto inteligente y gran viveza no obstante su edad, no me hizo ninguna reclamación.

—Mi esposo es muy bueno, no le ha hecho mal a nadie y está enfermo. Yo sé lo que es sufrir la cárcel, mis hijos también han estado en ella. Tú lo sabes. No sé qué puedas hacer por él, pero si puedes hacer algo hazlo. No me contestes ni me digas nada.

La señora Echeverría me interceptó al final, cuando me retiraba. Nassar Haro se mantuvo a distancia. Tenía ante mí a la familia Zuno en un primer plano y al fondo, tras ellos, sentado en un equipal ante la mesa redonda, estaba mi padre. Al verlo me aparté de los Zuno y fui hacia él. Nos abrazamos.

—¿Qué le pasó a usted en las muñecas?

—Es de las esposas.

—¿Quién lo detuvo?

—Uuuh, fue el ejército. Rodeó la casa y me sacaron. Me llevaron hasta Hermosillo. Yayita se puso histérica; les estaba echando hasta de la madre. Le dijeron a Loreto, su madre, que la calmara porque si no se la llevaban también. Me trajeron hasta acá, a Guadalajara. Me dijeron que hablara por televisión; me enseñaron lo que tenía que decir.

—¿Lo torturaron?

—Sí. Ya me andaba muriendo. Me dieron varios ataques al corazón pero me atendieron los médicos de ellos mismos.

—Padre, cuídese.

—Ya todos se fueron de la casa y aunque yo no quiera me preocupo por ustedes. ¿Entonces ni cuando me esté muriendo los voy a ver?

Se acercó la señora Zuno a la mesa. Repitió su petición, que no era un ruego. Me pidió que hiciera lo posible porque su esposo regresara. Yo no podía hacer nada.

Ya en la salida, al despedirnos de ellos, en ese preciso momento, me interceptó la señora Echeverría.

—¿Qué piensan hacer de México, a dónde piensan llevarlo con su insensatez?

Supe después que el gobierno le pagó a mi padre el viaje de regreso hasta Sonora. No lo volví a ver. Al poco tiempo murió.

Cuando se dio el cambio de la Dirección Administrativa del Penal, las corporaciones policiacas y el ejército aprovecharon esto y entraron a la cárcel a las dos de la mañana. Nos sacaron de las celdas y comenzó el saqueo que hicieron 150 policías con un costal cada uno, armados con metralletas. Si aquí fue fácil el saqueo (en el "Rastro"), en el resto del penal con más de dos mil quinientos reclusos, encontraron resistencia. Este hecho fue el comienzo de los sucesos en el penal de Oblatos, con repercusión nacional e internacional, cuyo saldo fue de varios muertos.

Una madrugada, no recuerdo cuál los antimotines, apoyados por el ejército y la policía, nos sacaron para subirnos a un avión. Llegamos a un aeropuerto militar cercano a las pirámides de Teotihuacán donde nos recibió el ejército. De ahí, encapuchados, nos trasladaron al Campo Militar Número Uno donde nos esperaba Nassar Haro. No sé cuánto tiempo estuvimos ahí hasta que nos sacaron para distribuirnos en varios penales.

En Santa Martha, a mi hermano Ramón y a mí nos separaron del grupo de trasladados para llevarnos ante el director, un tal

Antolín, quien entre otras cosas nos dijo: "Aquí la población está muy indignada por los sucesos de Oblatos, principalmente los Mayores (éstos son jefes de crujía impuestos por la Dirección y escogidos entre los más desalmados e incondicionales). Ustedes corren un serio peligro. Incluso se sabe que hay rifas entre ellos para ver quién los mata. Hay mucho dinero de por medio. Aquí van a estar totalmente aislados".

Para entonces no sabíamos con detalle quién era ni cómo funcionaba la llamada "Cuarta Compañía". Sin embargo, pocos días fueron suficientes para saber que era el grupo represivo de la Dirección, creado para imponer el terror entre los internos, integrado por presos. La mayoría de ellos, conforme van dejando de ser útiles para la autoridad, son castigados o recluidos en segregación. Otros, los que saben más, son trasladados hasta las Islas Marías.

Luego de la entrevista con Antolín nos llevaron al dormitorio 4: un edificio de dos plantas divididas en cuatro secciones aisladas entre sí. Al lado tiene un edificio anexo de dos plantas con dos secciones, también aisladas entre sí. Todo este conjunto —un total de doce secciones— es el departamento conocido como el "Zo" (zona de los olvidados).

Ramón y yo quedamos en la sección 7. El resto de los trasladados quedaron en la 6. En la 7 —junto con nosotros— se encontraba un preso del orden común con antigüedad ahí.

Hicieron que nos bañáramos con agua fría. Luego nos encerraron durante tres horas en una celda de hierro y concreto; desnudos. Más tarde se presentó un psiquiatra, quien luego de auscultaciones, nos dio a tomar unas pastillas que a la mayoría los metió en incontenibles diárreas. Como a las 7 de la noche del día en que llegamos, cambiaron a los de la sección 6 a la sección 5 y, a Ramón, de la 7 a la 6, dejándolo completamente solo en tanto a mí me dejaron en la misma 7, sólo que pasándome a la celda donde se encontraba el preso común. Para entonces ya nos habían dado pantalones, camisa, un colchón y una sábana.

A las 7 y media de la noche apagaron las luces. Casi en el mismo momento se escucharon gritos escalofriantes, ruidos de cadenas, botellazos e intentos desesperados por abrir el candado del pasillo que bloqueaba la llegada hasta las celdas donde nos encontrábamos. Esto se prolongó por quince minutos. Luego —como si alguien les diera una orden— se retiraron atropelladamente. Llegó la luz y con ella el jefe de Vigilancia y sus secuaces. Para llegar hasta donde llegaron los de la trifulca debieron pasar una caseta de vigilancia que se supone tiene guardia permanente. Por nuestra parte alcanzamos a ver a algunos de los integrantes de la Cuarta Compañía al retirarse. Cuando algunos de ellos —más tarde— cayeron de la gracia de la Dirección, nos dijeron ser los responsables del recibimiento que nos hicieron al llegar a Santa Martha.

Varios días nos dejaron sin comer nada, solamente nos entraba por las orejas ruido de estaciones de radio cruzadas, al máximo volumen, y en un lugar cerrado. Estábamos con los nervios como un manojo de alambres de acero y la lengua se nos puso morada y se nos salía exageradamente. En cambio a otros se les metía y parecía que se ahogaban y se ponían ansiosos y desesperados sin saber qué hacer. Se les torcía el cuello y sentíamos un escozor muy fuerte en el cuerpo y parecía que nos quedaríamos paralizados para siempre.

Cuando pasaron seis años, me sentenciaron a 25.

Los policías de uniforme empolvado, sudorosos y jadeantes, llegaron por él a toda prisa en formación desplegada trotando sobre la tierra suelta, con los pies doloridos, embrazando el arma, cada uno, como si lo hicieran con palos viejos.

A los primeros gritos de rendición del que iba al mando, Rito cayó sobre un montón de cascajo, saltó sobre las piedras rotas para los cimientos, luego sobre la arena que le entró a los zapatos; tropezó con una criba, golpeó un bote endurecido con cemento y, como salido de una trampa, corrió. Las notas petrificadas del cascajo, el silencio pesado de la arena y el ruido amallado de la criba, produjeron un arreglo musical auténtico que se diluyó en los travesaños desnudos y quedó pendiendo de los alambres que nacían del concreto mojado todavía de la casa en construcción. Al correr cuidábase de los perros, de que no lo vieran y se le echaran encima para hacer justicia. Veía hacia atrás en busca de perseguidores, y se sostenía los lentes con una mano, y anteponía la otra al caer en los vados de la calle sacando de su acomodo a la tierra suelta que sin peso volvía a apaciguarse silenciosa en tanto él se distanciaba de sí mismo.

No sabía a donde ir. La colonia y todos los sitios de ella le parecían los mismos a fuerza de conocerlos tanto, sabidos por cualquiera y así, sin más, se dejaba conducir por un impulso extraño que parecía decirle hacia dónde.

En su desesperación se le ocurrió meterse a la feria; confundirse ahí a esa hora entre los ilusos que creen estar en otro lugar, en uno que no es ese, el de todos los días; el de los perros y los gatos muertos.

Los juegos mecánicos estaban irremisiblemente gobernados también por el mismo ir y regresar en círculo como todas las cosas en el universo y en los hombres. Un movimiento condenado a la relación inalterable entre el centro y el radio; circunscrito en sí mismo por todos los siglos. Como él mismo, como lo estaban Rito y sus camaradas, torturado por esas máximas de las que también había hecho el centro y el radio de su propia existencia: "...para chingarse a la clase dominante hay que enfrentarle un ejército a su ejército, tumbarle las columnas de sostén". "...cada combatiente de la guerrilla, por su capacidad, vale por diez del enemigo y debe ser capaz de echar a andar todo otra vez si la organización es desmembrada y llegara a quedar solo...". "Para hacer la revolución hay que tomar el poder y para tomarlo, también".

Los rechinidos de los hierros acoplados de los engranes y los diferenciales; los disparos con rifles de aire; el esfuerzo de los motores brincoteando descamisados; los gritos y el hablar de todos. El cantar de un dueto metido lo mismo en ese vaivén eterno: *...que viva la reina de los mexicanos / la que con sus manos / sembró rosas bellas / y puso en el cielo millares de estrellas...* Todo era un ruido distorsionado por su propia aglomeración; entreverado en las estructuras mecánicas y en los alambres. En el lugar del tiro al blanco los patos en fila, los tigres y los leones de hojalata moviéndose sobre una elipse, concedían a los cazadores una oportunidad en cada circunvalación, quienes las desperdiciaban empantanados en teorizaciones burdas acerca de la puntería de cada uno.

Las sillas voladoras estaban vacías y en movimiento; comprometidas en un vuelo inútil, sin sentido, que se multiplicaba por el milagro de los engranes y la manivela unida a las manos de Rito, quien las reparaba y que ahora pretendía pasar inadvertido por todos, ocupando el lugar que no era el suyo, con la misma postura de fuerza pegado al suelo; metido en un par de horadaciones al tamaño de los zapatos para no resbalar.

El uniforme del que se pasea frente a la puerta, se siente caluroso y sofocante. Desde el dobladillo de la chaqueta le cuelgan hebras como chorros finos suspendidos sin terminar de caer. El nudo de la corbata negra está grasiento y tiene comida seca en algunas partes. La mirada del guardia es de cansancio y a ratos parece no estar en lo que está de tan alejado que se le ve en sus pensamientos, observa Rito.

A Christopher Domínguez

Al llegar Jaime, el policía le franqueó la entrada. Rito estaba dentro, de espalda a la pared, sentado en el suelo con las piernas pegadas al pecho y abrazado a ellas; abreviado hasta el embrión. Cuando deshacía el abrazo, sus manos de venas violentas —ennegrecidas por la grasa de las poleas y las chumaceras— le colgaban desde las rodillas. El tocadiscos de la feria y la diseminación de las bocinas sobre las armaduras mandaban un vocerío destrozado por los mismos ruidos y el viento. El paso de los camiones por enfrente de la oficina del PRI lo volvían del ensimismamiento y lo dejaban caer en aquella obsesión: "...para chingarse a la clase dominante hay que enfrentarle un ejército a su ejército, tumbarle las columnas de sostén". "Para hacer la revolución hay que tomar el poder y para tomarlo, también". "...Cada combatiente de la guerrilla... si llegara a quedar solo".

Repentinamente miró a su enlace como ver a una silueta; una mera abstracción entresacada de la superficie vertical hueca iluminada por el exterior. En ese momento el traslape del tiempo y del espacio se hicieron imágenes tartajeantes por la premura: los hechos en el tendajón próximo a la ladrillera donde entonces —a los primeros intentos de reorganización— se refugiaron de sus perseguidores. De cómo éste virtualmente dejó que los atraparan. El olor de la gamuza de las chamarras de *ellos* y la pestilencia a tabaco y sudor; sus rostros marcados por el sueño, blancos por el polvo y el miedo; purificados en la persecución. Los ojos de mirada mítica, sin tiempo determinado. La belleza sólida y fría de las metralletas, su mecanismo de retroceso y el percutor acechante. La turbación y el embalse de la sangre en la cabeza al oírlos llegar, al darles alcance. La regresión vivencial inmediata interpolándose con la música escabrosa salida de una sinfonola.

Vivían dentro de una pila de láminas de cartón hueca en la hondonada donde fabricaban los ladrillos. Los azadones para batir el lodo brillaban sin mácula a fuerza de entrar y salir en el fango; se avenían solitarios a los cartones, parihuelas y moldes costrudos de lodo seco. Los que hacían los ladrillos eran hombres del mismo lugar; campesinos que se resistían a emigrar a la ciudad. Asesorados por él y su camarada, los campesinos lograron vender la producción a una compañía constructora.

Cada semana se embrutecían con alcohol y organizaban bailes en el laberinto de ladrillos acomodados para secarse. En uno de esos ritos, Jaime la conoció y sin palabras —adivinando con sólo verse— se fueron uno tras el otro— flotando en la oscuridad y llegaron hasta los hornos, a las chimeneas requemadas; a los volcanes enrojecidos por el fuego, tibios aún. Quizá eran sus ojos; su apaciguada y lejana forma de mirar lo que lo atrapaba —en realidad ni él mismo lo sabía.

En los bailes para reprimir el polvo suelto cubrían la perforación con paja de trigo y era como un alfombrado de millones de laminillas de oro que manaban desde las linternas de petróleo, como vetas aflorando de las paredes escarpadas.

Con los pies esculpidos en lodo, los ladrilleros se acomodaban solitarios como al final de una jornada de cacería persiguiendo días completos un animal hasta empantanarlo furioso e impotente; inferior para —con odio bestial, con alegría casi humana—, rematarlo a pedradas y a palos. Todavía vacíos de recuerdos, sin nostalgia ni llanto; sin pecado ni dios, permanecían extrañamente callados comunicándose entre sí con los ojos; metidos en un mundo que jamás eligieron, luchando contra todo para ganar la carrera a los otros animales. En la superficie del cráter ficticio los tres hornos eran volcanes de chimeneas rectangulares que miraban al cielo como enormes ojos vacíos, sin contenido, ciegos. Eran volcanes construidos por el hombre, y alimentados por él mismo en un empeño inconsciente por desenterrar revoluciones orogénicas; estancados en el vórtice de la resurrección.

Durante el tiempo de los descansos en la ladrillera, su enlace se echaba sobre un costal de ixtle vacío, y la cabeza se le llenaba de acontecimientos no sucedidos; desde ahí imaginaba un ataque con morteros, con tres. Morteros ciegos; sin mecanismo de mira, arrebatados también a un enemigo ficticio, disparando enfurecidos más por mera intuición que por la habilidad de sus operadores. Armas arrebatadas al enemigo en incursiones relámpago a destacamentos militares de la zona o en emboscadas de aniquilamiento, sin prisioneros —prefería en su capricho. Los tubos estarían colocados sobre igual número de líneas convergentes en un mismo punto a una distancia de tres kilómetros calculada al tanteo con el pulgar de la mano y ciertas dimensiones de objetos conocidos. Y entre el objetivo y los morteros —a sólo unos pasos—, un punto vertical representado en una vara que haría más precisos los disparos (cinco con cada uno, nada más). Luego el desmantelamiento y la retirada rápida de ese lugar ubicuo. A tres mil metros de ahí, luego del ataque, quedaría el desconcierto de un enemigo enloquecido ante otro que por más que quisiera no vería jamás porque no le presentaría un frente preciso de combate. La guerra de movimientos, pensaba.

De pronto la cabeza le quedaba como el costal de ixtle al ser interrumpido en su fantasía —a esa hora— por el relámpago mudo de una tempestad sin nubes ni agua; árida y silenciosa. El rayo partía desde un espejo irregular agitado sobre la pared por el viento en remolinos. El vidrio azogado desviaba la luz solar y era como una espada flamígera de algún dios mitológico enfurecido que tasajeaba toda señal de vida.

Ahí dentro, en la tienda, una báscula de platillos de lámina de bronce como un par de cisnes en alguna ceremonia prenupcial, movíanse ingrávidos uno frente al otro sobre un imaginario trazo vertical, tercos en encontrar el equilibrio previo para su apareo. En su propósito desesperante parecían aguantar la respiración mientras conseguían alinearse apegados a un proceso invariable.

Con el maíz y el frijol que caían desde los cucharones en el trasiego, el piso de tierra y corcholatas enterradas quedaba como un sembradío hecho por ciegos. Un surquerío extravagante en el que la simiente nunca germina; depositada por algún sembrador maldito en una tierra pisoteada por el hombre; amarga y dura.

Desde el centro del tendajón —en el techo— colgaban alargados palos sosteniendo la vaciedad de huaraches de llanta y sus correas desparramándose.

Una vitrina mosqueada, lúbrica por el manoseo de los creyentes, resguardaba el pan —el cuerpo de Cristo para ellos— de los ataques en masa de centenares de moscas herejes que enloquecidas embestían incansables una y muchas veces sin poder armar un asalto final.

La figura casi humana de aletear ridículo que Jaime divisó acercándose desde lejos, con la camisa de fuera agitada por el viento —el día de la aprehensión— era la de Rito; la misma de un querubín empecinado en elevarse y tras él, más alejada todavía, una polvareda implacable. Al verlo perseguido por esa nube sintió que todo se venía abajo otra vez. Al llegar *el Querubín*, jadeante y con los binoculares unidos al pecho como extraño aditamento para respirar, algo se dijeron y ante la sorpresa de todos, a esa hora de trabajo, se alejaron rumbo a la tienda, descalzos, con sus pies de barro. Al estar ahí en busca de protección, sin resistencia, el lodo se les endurecía desde los pies hasta las rodillas jalando los vellos, y sentían picazón y necesidad de rascarse con fuerza. Llegaron escapados de un lugar pantanoso, desde una región primaria; quizá venidos de algún sitio perdido, sin evolución; desde ese momento ajenos a todos los que estaban ahí. Se quedaron perpendiculares al mostrador sin saber qué hacer con un par de huaraches que pidieron para pasar inadvertidos.

Los pasos escalonados sobre la madera de la escalerilla anunciaron la llegada de la polvareda implacable; la venida de cuerpos apoyados sobre suelas gruesas que medio resbalaban en las tablas sobre la tierra arenosa. Sus manos y brazos eran tubulares.

—¡Nadie se mueva!

La voz monocorde y rutinaria se golpeó contra las paredes rebocadas con arena y cal, cubiertas de mercancía. El ladrido era un vocablo adiposo, un clamor llegado de pronto desde linderos inubicables que pedía la quietud de todos; su inmovilidad sólo unos momentos. Era una clase de exigencia atávica anterior al hombre, a sus conflictos; anterior a la misma persecución.

El ruido de sus desplazamientos arcaicos sobre el piso de tierra se ahogó antes de producirse y por los encontronazos de *ellos* contra los muros de adobe, sus cuerpos densos expulsaron ruidos quejumbrosos, tan viscerales que resultaban extraños, medio bestiales. Luego la aclaración temerosa, de miedo irracional en busca de armonía con los otros, de su neutralidad por lo menos; medida rápida de aislamiento tan antigua como segura.

—¡Nada más venimos por estos dos!—. Y el brazo geométrico impulsado por las palabras embiste por detrás.

—¡Voltéense despacio y bajen las manos, y no se acerquen, cabrones!

Parece que oye todavía los pasos irreflexivos hacia atrás del que hablaba mientras el de su izquierda —con un ademán elíptico preciso ante el asombro de los mansos— se sacó de la espalda un reptil metálico bicéfalo, y alcanzó a percibir el ruido efímero de mandíbulas aceradas cerrándose alrededor de sus muñecas.

En esos momentos un impulso sin nombre obligó a que Jaime se volviera al mostrador; un espacio de hojalata y madera con hileras de clavos asomando la cabeza. La hija del dueño estaba ahí. Entró a la tristeza acumulada en sus ojos, a la tranquilidad de una mirada blanda de tan dolorida por la separación abrupta. Llegó al comienzo insinuado de los senos, a la cruz sobre el pecho; a las amarras del hombre encadenadas al cuello. Caminó por las configuraciones ondulantes de elevaciones lentas, sin brújula ni mapa. Perdido. Llegó hasta la hondada, al final, donde se hunde todo y aflora la vida y la muerte; al principio y al final de las cosas. Sintió el rosamiento de superficies cóncavas y convexas buscando sin receso.

Las sirenas que llegaron para llevarse al *Querubín* enmudecieron frente a las oficinas del Partido Oficial. Agitadas parecían respirar al ritmo acompasado de los faros sobre el toldo, transformándole el rostro en cada vuelta.

A los patrulleros, aparecidos de entre una nube de polvo que se les adelantó al detener el vehículo, les colgaban correas desde las orejas, y vistos a contraluz eran tan espantosos como perros en la noche.

Al viejo uniformado, desde el lado opuesto, donde le cuelga la pistola le pende un arillo con llaves, un silbato de plástico, un cortauñas y un calzador que escandalizan a cada paso que da, produciendo un ruido como cadena de perro.

Un pañuelo rojo que le chorrea desde la bolsa de la casaca, y la dureza de sus manos, lo identifican como campesino al traidor, piensa Rito.

Los ojos con lágrimas desparramadas le brillaban pasando de una coloración azul a una roja y se le abrían y cerraban con el mismo intervalo del círculo refulgente. "...Cada combatiente de la guerrilla, por su capacidad, vale por diez del enemigo y debe ser capaz de echar a andar todo otra vez si la organización es desmembrada y llegara a quedar solo..." Recordó esto muchas veces con hambre, con frío, con sueño, enfermo; cansado. Sobre todo cuando era rechazado aquí y allá, dondequiera que solicitó trabajo. Llegó a creer que todo lo que le pasaba era una prueba a la que lo sometía su destino; una posibilidad más de fogueo, y que debía tomarlo así; como una segunda oportunidad en su vida luego de la cárcel, algo así como un concepto sagrado; algo para lo que él había sido elegido por las circunstancias. ¿Por qué no? —pensaba. A lo mejor él podía echar a andar todo nuevamente. Pero ahora, al estar ahí, desmembrado él mismo, el núcleo, la nueva organización en germen; la consigna le parecía lejana, alejada como la misma toma del poder; tan imposible que le era ajena; una locura de verdad: "...echar a andar todo otra vez..." ¡Cómo no! ¡Chinguen a su madre teóricos! —concluyó para él.

Al enmarcarse en el umbral los vigilantes, se incorporó antes de que hablaran, se volvió para ver a Jaime una vez más y en seguida se lo llevaron. Desde el automóvil, en el momento en que se sentó, en ese preciso instante, su memoria reivindicó un vuelco aparatoso y se hizo la luz, de pronto le pareció que Jaime y Joaquín fueron siempre una y la misma persona; y que su enlace, el de los documentos y el de más arriba (Salvador) eran una especie de Padre, Hijo y Espíritu Santo; tres misterios en uno. Que su enlace venía desde muy arriba y que era de vigilancia y desinformación; así lo comprendió.

Uno de *ellos* se orilló hasta un rincón y tomándola escuchó Rito decir: "¡agárrala con cuidado —refiriéndose a la bomba antipersonal— es la prueba de que éste es terrorista!"

El niño que fue por Jaime estaba de pie cerca de él al volver los dos desde la oficina del Comité Regional del PRI. Tenía reseca la piel de la cara, levantada como el pavimento. Elevaba los mocos a cada resuello y al hablar enseñaba el desorden de los dientes. Había cascajo y arena amontañados; castillos y trabes solitarios; el nivel de burbuja y una plomada estaban con toda su sabiduría por los suelos. La criba aún volcada no dejaba en libertad a sus prisioneros; los guijarros sacados de entre la multitud de la arena. Alambres y varillas corrugadas brotaban del colado. El piso eran costras de cemento endurecidas.

Desde el vehículo —flanqueado por dos de *ellos* en el asiento trasero— *el Querubín* alcanzó a ver en el camellón, ya frente a la garita, subiendo y bajando por los domos de basura, las velas y sus luces que se acostaban jaladas por el viento esquivando también los tajarrazos horizontales que salían de la cúpula de la patrulla. Los que marchaban delante —fuera de este mundo— sostenían en peso una imagen agarrotada, lapidada sin piedad con flores de papel crepé, un Cristo leñoso y sin el labio superior que parecía burlarse de todo, de lo que quiso y no pudo. Un redentor de desecho; un charlatán.

Hombres, mujeres y niños marchaban como nómadas; sin rumbo, demasiado lentos y en armonía dolorosa con un estribillo arrastrado en cada palabra; una letanía surrealista de condenados: *Oh María / madre mía / oh consuelo / del mortal / amparadme / y guiadme / a la patria / celestial...* "...La patria celestial..." "...La patria celestial..." —caviló Rito, repitiendo esta frase varias veces; no porque nunca la hubiera escuchado, sino por las circunstancias en que lo estaba oyendo; por la profunda connotación de duda y desesperanza que contenía la frase.

La patria celestial
se terminó de imprimir en
noviembre de 1992 en los talleres de
Multidiseño Gráfico, S. A.
La edición consta de 2,150 ejemplares
más sobrantes para reposición.